D0186907

Une enfance outremer

Une enfance outremer

Textes réunis
par Leïla Sebbar

Éditions du Seuil

ISBN : 2-02-042625-0

© Éditions du Seuil, mai 2001

www.seuil.com

Des années quarante aux années quatre-vingt.

Seize écrivains racontent.

Une enfance outre-mer. De la Caraïbe à l'Océanie. L'Afrique, nord, ouest, est. Péguy-Ville, Capesterre, Saint-Joseph, Fort-de-France, Casablanca, Alger, La Goulette, Abidjan, Yamoussoukro, Komono, Addis-Abeba, Aden, Antananarivo, Port-Louis... Dans cet écart géographique, une langue commune, le français et sous le français, le créole, l'arabe, le kabyle, le somali...

Des paysages aussi divers que les histoires et les langues, d'un écrivain à l'autre. Le paysage d'enfance. Mornes, savane, bananeraies, rizières, forêts, champs de canne. La mer absente, malgré les îles. On voit les paquebots.

Les pères et mères.

Famille dispersée. Famille élargie.

Le père absent, souvent. Disparu, inconnu, fou, malade. Présent, il est instituteur ou militaire.

La mère présente, toujours. Vaillante, généreuse, dévouée. Paysanne ou citadine, elle laisse à la grand-mère traditions, chansons et croyances.

L'école, bien sûr.

Là où se gagnent les privilèges futurs ; où on échappe à la rue, à la drogue, aux champs de canne, à la misère, plus tard ; où se mène « la croisade pour l'instruction universelle »... Ironie, dérision, nostalgie. L'école, c'est la France, ses livres, ses poètes, ses trônes Jacob Delafon... Contes de Perrault, encyclopédies Larousse, catalogues Manufrance, La Redoute, revues pédagogiques et dans la maison d'école les journaux : *Elle, France Observateur, le Canard enchaîné, Alger républicain*...

Et puis, aussi, la rue. C'est l'Amérique. Le cinéma, les bandes dessinées, la musique, le rock, la guitare fétiche.

Dans la rue, les rencontres violentes, le regard des hommes sur les petites filles, les tentatives de viol. Les militaires, la police qui réprime les émeutes. Les indépendances, les révolutions, les meurtres politiques, la guerre.

Les enfants guettent, épient les mots, les gestes. Curieux jusqu'à l'obsession, sensibles et rêveurs. Ils questionnent les secrets de l'univers, du langage, des adultes, leurs manières bizarres et leurs fêtes religieuses chrétiennes, musulmanes, laïques... Regard aigu de ces enfants sur les autres, grands et petits, sur le désordre du monde, la création divine, juste ou injuste, les effets dévastateurs des guerres coloniales et des guerres civiles... Ils seront écrivains.

Leïla Sebbar

LA ROBE BLANCHE À PETITS POIS

Hélé Béji

Hélé Béji

Née à Tunis en 1948. Agrégée de lettres modernes, elle a enseigné à l'université de Tunis et occupé un poste de fonctionnaire international à l'UNESCO.

Elle a collaboré à de nombreux ouvrages collectifs, dont : *Stratégie des pays arabes contre l'islamisme* (Albin Michel, 1997).

Les clés du xxie siècle (Unesco-Le Seuil, 2000).

Elle a collaboré à plusieurs revues, dont : *Le Débat*, *Esprit*, *Intersignes*...

Elle a publié des essais et un roman, entre autres :

L'Œil du jour (Maurice Nadeau, 1985).

Parmi les essais :

Désenchantement national, un essai sur la décolonisation (Maspero, 1982).

L'Art contre la culture (Intersignes, 1994).

L'Imposture culturelle (Stock, 1997).

À paraître :

La Femme spirituelle.

Sur une vieille photo de famille, je me revois dans ma robe blanche à petits pois, ma mère et mon père agenouillés derrière moi, jeunes parents aux cheveux courts, les yeux brillants, dans l'éternelle élégance des choses révolues, parfaits, sans souffrance, sans tristesse, sans chagrin, sous le feuillage translucide d'un arbre toujours vivace ; mon petit frère est à côté de moi, sur le marbre du patio, avec le sourire trop sage des vrais petits diables. Le jupon sous ma robe me pique les jambes et les fesses, mais je le porte avec l'ivresse des danseuses à tutu, quand elles cambrent leurs pointes sous la corolle de tulle où flamboie leur grâce.

C'était l'époque où je faisais le plus beau rêve de ma vie : la nuit, je rêvais que je volais, que je me transportais dans les airs avec une merveilleuse assurance. C'était l'extase ! En fermant les yeux avant de m'endormir, je me concentrais sur ce moment ineffable où je m'élèverais dans le ciel sans effort, sans pesanteur, sans matière. Cette sensation unique, l'avion n'en donne qu'une approche grossière et lourdement mécanique. Non là, c'était moi qui flottais toute seule, sans machine, poussée par l'appareil invisible et silencieux de l'air qui se confondait avec la légèreté de mes membres. D'un simple mouvement de reins ou d'une brasse, je sillonnais l'espace au gré de ma fantaisie, au-dessus des toits qui s'étendaient en bas comme une mer aux écumes immobiles, cristallisés par une lune que je ne voyais pas, mais qui semblait partir de moi et éclairer ma route où mon regard perçait l'atmosphère. Je survolais le canal de la Goulette, au bord duquel je distinguais les palmiers qui formaient le long du lac des ornements euphoriques, indéracinables, somptueux, jaillissant comme des sources qui comme moi montaient en courbes indicibles, en palmes impétueuses, tirant de la sécheresse de la terre une ardeur vitale, altière, géante, divinités aux grandes coiffes reflétées dans les eaux.

Les lois physiques ne gouvernaient plus les corps ; c'était un condensé d'énergies surnaturelles qui me détachaient comme un souffle vers l'autre monde, cet au-delà que l'imagination de chacun confond avec l'apparence du ciel. Je savais avec certitude que je ne tomberais pas, parce que je savais que je rêvais. Et effectivement, je tenais dans l'air au-dessus du vide, en cambrant mon dos et en gonflant mes poumons, dans une sorte d'extension magique de ma volonté qui imprimait à l'air une impulsion délectable.

Pour que ce miracle ait lieu, il fallait que je ne rate pas le premier moment du sommeil, celui où je m'accrochais à l'air en lançant sous mes paupières un signal qui passait du bord de ma conscience à moitié endormie jusqu'au fond irisé où se dessinent les images du songe. Je sentais alors, grâce à cette concentration, les premiers effets de ma lévitation, une métamorphose où ma chemise de nuit se gonflait comme une voile, et je traversais, avec une âme de sylphide, les étages vaporeux du monde, les bras ouverts, sous d'invisibles ailes, avec une lenteur voluptueuse.

Il y a bien longtemps que je ne suis plus capable de susciter ce rêve délicieux, qui s'est dissipé avec le réalisme de l'âge. J'ai perdu le secret de ce charme irréel, de ce déclic onirique où je volais grâce à la simple pression de mon esprit sur les visions éthérées de mon sommeil. Une ou deux fois cependant, comme une pâle réminiscence éteinte de ce qu'il était, ce rêve m'est revenu. Mais je parvenais à peine à m'arracher du sol que j'y retombais avec les mouvements désespérés de mes bras et de mes jambes, qui finissaient par me réveiller en sursaut. Désormais, un interdit pèse sur ce pouvoir intime, sur les nobles facultés de cette sensation primitive. Et pourtant, je cherche toujours à en retrouver l'intensité, la fugace extase, le délire lascif et abstrait dont j'aime à me figurer qu'ils étaient l'expérience fervente de ma propre désincarnation, l'élan mystique d'où tout découle et vers quoi tout revient, une connaissance supérieure, une fusion abyssale de ce qui précède la naissance et de ce qui suit la mort. De ce nouveau monde où me berçait la soyeuse dissolution de la matière, je regardais l'ancien comme un oiseau qui plane doucement en contemplant l'idéal dont il est une sorte d'incarnation pâmée. Autrefois, j'avais le don de tourner mon esprit endormi vers l'hallucination désirée, en forçant mon inconscient à déployer son grand voile d'apesanteur. Mais maintenant ma volonté, cette faculté autrefois féerique, ne commande plus au courant du songe.

Pourtant, j'en ai gardé au fond de moi une impatience, une impulsivité, une *illusion volontariste*. J'ai toujours eu la faiblesse de croire que, en fixant mon esprit dans la bonne direction, en plaçant mes élans sur la bonne trajectoire, mes principaux désirs seraient exaucés. Quelle puérile conviction ! Sur ce point, mon expérience m'a détrompée, et j'en ai essuyé quelques mésaventures ! Non, la volonté hélas n'est pas toujours une technique céleste, et la force qui palpite sous les paupières ne devient pas forcément le papillon géant du rêve. Le rideau opaque et lourd ne se lève pas avec la même facilité sous la douce pression de nos violents désirs. La matière qui nous enveloppe est hélas plus lourde que celle qui nous illumine, et jamais la réalité ne nous obéit avec la limpidité intime du songe. Mon impatience m'a souvent joué de mauvais tours, et quand il m'arrive de sauter avec un peu trop d'enthousiasme par une fenêtre imaginaire où j'ai cru voir passer un souffle d'extase, ce n'est pas dans les airs que je me retrouve, mais par terre, avec quelques douloureuses contusions et de gros soupirs de déception !

Quand, après ma belle promenade aérienne, je revenais sur la terre en me réveillant, je posais mes pieds nus au sol avec ce parfait naturel des enfants qui passent d'un état à un autre sans changer de réalité, en gardant le même bonheur à tout. Je n'étais pas étonnée qu'autour de moi personne ne sût voler, et il ne semblait pas qu'on en fût particulièrement malheureux. On n'avait pas l'air d'en faire un drame, ce n'était pas si terrible que ça de se tenir debout sur ses deux jambes. Marcher sur la terre n'était pas vécu comme une infirmité ! Aussi, j'abandonnais pour un temps le commerce céleste, et je me trouvais fort joyeuse de trottiner dans la maison avec la famille pédestre des humains, dans mon petit jardin terrestre. Le peintre était là, en train de blanchir le mur, il avait grimpé sans se plaindre à l'échelle qui montait jusqu'au toit, et il n'avait pas eu l'idée de se jeter dans le vide pour vérifier s'il pouvait tenir tout seul, comme moi, et voir l'effet que ça faisait de flotter sur le coussin invisible dont il ne soupçonnait pas l'existence. Moi-même d'ailleurs, bien réveillée, je ne me risquais jamais à ce genre d'exercices, persuadée que la réalité qui avait repris possession de l'ordre naturel me rendait la chose impossible, sans que je susse vraiment pourquoi. Ma témérité avait disparu avec l'effet onirique de mes facultés surnaturelles, et j'étais sûre que cette fois-ci, je me ferais très mal ! J'admirais que le peintre, au dernier degré de son échelle, eût un tel sens de l'équilibre et un mépris total du vertige qui me venait rien qu'à le regarder, moins préoccupé qu'il était du morceau de ciel sur sa tête que du carré de mur blanc sous ses yeux.

Mais surtout, je courais vers mon chat Tinou, avec lequel je ne me lassais pas de jouer. On l'avait recueilli, ma mère et moi, dans un soupirail où il miaulait à fendre l'âme, un jour que je partais pour l'école en passant par Montfleury, là où les maisons coloniales avaient de beaux perrons arrondis, des auvents ouvragés aux fenêtres, des carrelages italiens, des bougainvillées qui traversent leur fer forgé, et des arcatures arabes aux fenêtres, avec ce mélange des genres qui crée le mystère indéfinissable d'une architecture dont la suavité est plus forte sous la lumière des bénédictions climatiques. Ma mère et moi, nous craquions d'amour pour tous les chats de Tunis. Le coup de foudre était d'autant plus violent que l'animal était malingre, crasseux, orphelin et abandonné. Celui-là était d'une laideur que l'abandon transforme en une disgrâce irrésistible, et la saleté de son poil me donnait l'ineffable émotion de sa beauté barbouillée. Plus il était affreux, plus je le trouvais gracieux.

Grâce à nos gâteries, il était devenu le plus beau et le plus gros chat de gouttière du quartier, et le lustre de sa fourrure où je passais mes doigts était savamment entretenu par le luxe qu'il mettait à sa toilette. J'en ai gardé une faiblesse sans défense pour

16

tous les chats tigrés que j'ai trouvés dans ma vie. Un premier amour de chat est indélébile. Sauvage et princier, aventurier et paresseux, impulsif et languide, il passait ses nuits sur les terrasses de la médina, dans des combats de chats dont je l'imaginais toujours vainqueur, rien qu'à l'intelligence de son cri où de loin je croyais reconnaître sa supériorité sur tous ceux de sa race.

Cependant, quelque chose me tracassait un peu, dans cette adoration où la nature parfaite de mon chat se confondait avec le bonheur de l'existence : il mangeait les petits oiseaux ! Cela m'embêtait. Une lutte se faisait en moi entre mon amour pour mon chat, et mon affinité secrète avec l'espèce volante. Sur la terre, je suivais les chats de gouttière, et la nuit, je migrais au ciel avec le peuple des airs ! J'avais, comme les cœurs infidèles, une existence double et des rendez-vous clandestins. Et qui peut dérober à l'appétit des enfants la possession complète des passions inconciliables du monde ? Malgré tout, la cruauté de mon chat m'intriguait. Elle contrastait trop avec la tendre bonté de ses ronrons. Ses griffes, sa moustache, ses petits crocs qui ajoutaient un charme de férocité à l'amande tendre de ses yeux, ne me le rendaient pas moins beau, mais plus trouble. Je sentais qu'il appartenait à la race de ces êtres indociles qui entretiennent avec une indifférence rouée leurs airs voluptueux, comme ces stars de rock dont à dix ans on tombe folle amoureuse, à cause de leur côté mauvais garçon, de leur charme félin sous leur mèche rebelle, et l'oscillation de leur corps dans le magnétisme rauque de leur voix. On les aime d'autant plus qu'ils ignorent complètement notre existence, et notre cœur de fan chavire à la moindre vague qui monte en notes sauvages de leur gorge enchantée, tandis qu'abêtie et ensorcelée, on étouffe et on tremble en se pâmant de désespoir et de joie.

Tinou devait envoûter, par l'effet d'une grâce indifférente, le moindre moineau qu'il capturait. Son art de l'affût était en lui-même si captivant qu'on en oubliait jusqu'à la souffrance de l'être qu'il détruisait. Il y avait dans sa douceur quelque lueur sublime de ravage. Ses proies tombaient du nid sous la griffe nonchalante de sa jolie patte de velours. Esthète, désinvolte, caressant, irrésistible, il était aussi un séducteur carnassier qui ne ratait jamais sa cible. C'était très préoccupant. Je ne voulais pas que Tinou fît partie des méchants. Il était impossible qu'une créature si mignonne, avec sa petite langue rose, son câlin soyeux, ses tressaillements, la souplesse exquise de ses abandons dans un rayon de soleil, la finesse de ses moustaches, la délicatesse de ses oreilles, eût des instincts aussi grossiers et insensibles. J'avais beau le gronder, lui taper sur le museau pour lui montrer que c'était mal quand je le prenais en flagrant délit de prédation, il recommençait, c'était plus fort que lui, je ne parvenais pas à l'éduquer, à le rendre tout à fait moral. Mon amour pour Tinou se compliquait d'un souci métaphysique sur le mystère du mal. Si d'un côté c'était *un gentil*, et si pourtant il tuait les oiseaux, était-ce de sa faute ? Pouvait-on lui en vouloir ? S'il était né comme ça, Dieu devait-il le punir ? Et moi qui continuais à le gâter, n'étais-je pas complice de sa méchanceté quand il croquait les oiseaux ? Ma pitié envers les oiseaux contrariait mon adoration pour mon chat. Je voulais à la fois épargner l'un et sauver l'autre, réconcilier à tout prix la race de Tinou avec celle des volatiles, les convertir à la tendresse commune où je les rassemblais dans mon cœur, et où je croyais qu'ils finiraient un jour par fraterniser. Je voulais que mon chat fût vertueux, qu'il renonçât à ses appétits pervers, et qu'il se souvînt de sa détresse de chaton abandonné quand il ressemblait à un oisillon dans sa boule de duvet. Mais ce noble projet fut voué à l'échec. Il y avait dans l'instinct de Tinou une fatalité qui résistait à ma volonté, et tous mes efforts ne le guérirent pas de cette emprise. Mais confusément, je sentais que tout cela n'était pas de son fait, et que la mystérieuse poésie de son existence se situait au-delà du bien et du mal, entrait dans un dessein plus vaste dont le sens m'échappait.

Loin de me tranquilliser, cette pensée m'inquiétait davantage. Car si Tinou n'était pas coupable, *qui* avait décidé de sacrifier les petits oiseaux ? Si son instinct obscur ne lui était pas imputable, qui donc incriminer ? Si Dieu avait fait Tinou ainsi, s'il avait assorti sa joliesse, sa gentillesse d'un mal inconscient, s'il le rendait victime d'une loi qui le frappait à l'égal de ses semblables, la loi féroce de la nature dont il n'était que l'agent, pourquoi le juger ? Mais cette loi, qui en était l'auteur ? Pourquoi Dieu, s'il était bon, aurait-il donné à un chat si aimable un cœur impitoyable ? C'était incompréhensible ! Quand j'y repensais la nuit dans mon lit, je restais longtemps dans le noir à déchiffrer cette énigme, avec cette obsession d'enfant que l'imperfection du monde tourmente. Tinou, j'en étais sûre, n'était pas responsable. Il me fallait absolument le racheter pour la paix de mon cœur. Mais je voulais aussi, en même temps, disculper Dieu, dont la bonté me paraissait incompatible avec la fourberie des chats à semer le malheur chez les oiseaux. Comme c'était difficile à démêler ! C'était une torture sans fin où mon esprit s'embrouillait. Comment Dieu pouvait-il envoyer en enfer ceux-là mêmes qu'il avait créés, et voulus tels, pour les juger au nom du Bien après avoir déposé en eux, sans les consulter, les germes du Mal ? Innocenter mon chat, c'était accuser Dieu ; et justifier Dieu, c'était condamner mon chat. Quel abîme, quelle obscurité, quels doutes ! Quelque chose vacillait en moi sur l'idée que je me faisais de l'harmonie de la Providence.

N'y tenant plus, épouvantée par la nature dramatique de la question, je sautais du lit dans le noir, et je courais dans la chambre de mes parents, sûre qu'ils connaissaient le fin mot de cette histoire dont la logique m'échappait. Je laisse imaginer la mine qu'ils durent faire quand, mal réveillés, se frottant les yeux, convoqués au milieu de la nuit à un concile urgent pour statuer sur les questions du Mal, de la Faute, de l'Innocence et de la Responsabilité, ils étaient sommés de répondre, dans la stupeur, à un casse-tête où il leur fallait rendre compte de l'existence de Dieu, de l'amitié des chats et des oiseaux, des méchants, des bons, de la justice et de l'injustice, du châtiment et du pardon, du paradis et de l'enfer... et surtout du salut de mon chat Tinou.

Je ne sais plus la réponse qu'ils me firent, puisque, en réalité, il n'y avait pas de réponse. Mais je me souviens que, reprenant leurs esprits, ils se mirent à rire, plus effrayés sans doute par mon agitation fiévreuse que par le sort réservé à Tinou dans l'autre monde, ou par le rôle de Dieu ou du diable dans cette affaire. Après de longues palabres où l'on avait dû, par toutes sortes de ruses, me distraire pour chasser ce qu'on avait cru être l'émotion d'un mauvais rêve, j'acceptais enfin d'aller me recoucher, moins satisfaite sans doute par leur réponse que par la gaieté de leur bonne humeur, que j'interprétais dans un sens favorable où la chose m'apparaissait avec moins de gravité. Néanmoins, je fus longtemps ce soir-là à me rendormir, et je ne sus jamais comment Tinou se présenta au Jugement dernier.

Mais le paroxysme de la crise était passé, et comme tous les enfants doués de ce don d'oubli proportionné à la jeunesse immaculée de leur mémoire, qui n'a qu'un minuscule espace de vie derrière elle, au regard de celui que leur imagination ouvre devant eux dans l'immense chemin de vie qu'il leur reste encore à parcourir, où ils sont happés par mille prémices joyeuses, mille figures de leur rêverie où tout à chaque seconde brille d'un éclat jamais vu, je quittais mon humeur tourmentée et le mystère trop ardu d'une région impénétrable que j'avais abordée avec cette même intrépidité inconsciente qui pousse les enfants à jouer dans les recoins les plus cachés et parfois dangereux, tandis que les parents affolés les cherchent partout en se demandant « mais où donc ont-ils bien pu aller se fourrer ? ».

Le ronronnement tiède de mon chat lové au pied de mon lit me procurait le bien-être qui suit, dès qu'elles se sont évanouies, les frayeurs imaginaires. Insensiblement, je passais du frisson du cauchemar au murmure du rêve. Et ce que j'avais vainement forcé par des questions insolubles, des raisonnements interminables, des logiques impossibles, cette vérité qui ne voulait pas étendre ses ailes pour dénouer mon cerveau enfantin, me pénétrait par une autre voie, une brise qui me soulevait par les cheveux, me détachait comme une feuille d'un arbre inextricable et me portait dans l'atmosphère, comme si je venais de traverser le labyrinthe d'une tombe au bout de laquelle un trou lumineux nous propulse dans l'empyrée. Mon essence se libérait de ma conscience et de ma peine, comme une conque quitte le rocher de l'antre des mers, et je me sentais emportée par le courant d'une vague où les contes de mes parents, le salut de Tinou, le martyre des oiseaux avaient pris cette exquise inapparence qui tissait les fils transparents et purs de mon nouveau voyage, humecté de la saveur que le sommeil distillait dans mon corps en gouttes lénitives. Je dépassais les lois physiques de la nature, je surpassais tous les secrets métaphysiques de l'existence, et de la branche d'un arbre je sautais sur le toit, dans un costume volant de plumes, d'étoiles, d'oiselle, de rayon de lune et de fourrure de chat, gonflée de l'extase d'un jupon où je flottais comme un flocon de tulle sous ma robe à petits pois.

« C'est quoi un Arabe ? »

Maïssa Bey

Maïssa Bey

Née en 1950, dans un village des hauts plateaux algériens. Elle a enseigné le français dans un lycée, avant d'être conseillère pédagogique.

Elle vit toujours en Algérie.

Elle a publié :

Au commencement était la mer, roman (Marsa, 1997).

Nouvelles d'Algérie (Grasset, 1998, Grand Prix de la Société des gens de lettres).

À contre-silence, entretiens avec Dominique Le Boucher et textes inédits (Paroles d'Aube, 1998).

Cette fille-là (Éditions de l'Aube, 2001).

Enfance.
Je plonge mes mains dans l'informe. Je cherche.
Sables mouvants, tièdes. Je m'enfonce.

Première prise : une question.

L'enfant est debout. Droite. Elle lève la tête, se
protège du soleil de sa main en visière et demande :
– C'est quoi un Arabe ?

*Je ne revois pas le visage. Je ne sais plus pourquoi
ni à qui j'ai posé cette question. À un adulte certainement. À quelqu'un de beaucoup plus grand que
moi puisque je dois lever la tête. Puisque, en toute
logique, seuls les adultes peuvent répondre aux
questions. Néanmoins, je n'ai pas la réponse. Je ne
la retrouve pas dans ma mémoire. Peut-être qu'on
ne m'a pas répondu. Ou que la réponse, trop évasive
ou trop savante ne m'a pas convaincue, ne m'a pas
éclairée. Et puis les adultes répondent souvent*

n'importe quoi pour se débarrasser des enfants trop curieux.

Le mot cependant fait surgir des images. Les saisir avant qu'elles ne soient altérées par les certitudes présentes. La réponse est peut-être là.

Les robes longues, amples et unies de ses tantes. Sur leur tête, des foulards de soie bariolée. Les signes mystérieux tatoués sur leur visage, sur le dos de leurs mains. Le burnous blanc et la barbe de son grand-père. Là, précis, un chatouillement. C'est rêche. Ça pique quand on l'embrasse. Mais elle aime bien. Elle est souvent sur ses genoux. Le geste qu'il avait aussi pour enrouler son turban. Des kilomètres de tissu blanc.

C'est ça. Les clichés. Mais c'est peut-être comme ça que tu pourras avancer. Continue.

Posés sur elle, les yeux de son grand-père. Très clairs. Verts ? Bleus ? Cet attendrissement qui creusait dans son sourire des milliers de rides, profondes comme le lit d'une rivière.

Oui, c'est bien là. Encore présent. Tellement présent que les larmes me montent aux yeux.

Un autre moment se détache, sort de l'oubli et se projette, là, maintenant, sur la page. Comment être sûre qu'il ne m'a pas été rapporté par ma mère ? Tant pis. Je commence.

La petite fille a appris à lire. Avant même d'aller à l'école. Simplement en écoutant et en regardant son père dans sa classe, pendant les cours du soir, et lorsqu'il préparait ses fiches, remplissait ses registres, corrigeait les cahiers des élèves. Elle s'assoit chaque soir près de lui, sur le rebord du bureau, sous la lumière d'une lampe qui les isole des autres, du reste de la famille. Puis, à l'école, pendant que ses camarades commencent à peine à déchiffrer les mots, trébuchent sur les syllabes, se débattent dans les liaisons et pataugent dans les « z'accords », elle avance à toute allure, explore des territoires dont elle aura du mal à revenir, déjà, et découvre, au fil des pages qu'elle tourne, des mondes si vastes qu'elle n'en verra jamais la fin.

Elle sait lire. Assise sur les genoux du grand-père, elle a un livre entre les mains. Elle lui montre une carte de géographie. Tiens, regarde cette image. C'est la France. Lis ! C'est écrit au-dessous. Il rit. Bizarre, il ne comprend pas. Il ne sait pas lire. Pas ses livres à elle. On ne lui a pas appris ça à l'école quand il était petit. Il a d'autres livres pleins de signes différents qu'elle ne sait pas déchiffrer. Mais peut-être qu'il n'est jamais allé à l'école. Vexée, déçue de ne pas pouvoir partager sa science, la petite fille se dégage des bras de son grand-père et va se réfugier sur les genoux de son père.

Non, quelque chose ne va pas ! Il faut refaire la fin. Cela ne correspond pas à ce que je sais aujourd'hui des traditions en vigueur dans notre famille. Impossible. Les pères en ce temps-là ne pouvaient voir leur femme ou leurs enfants en présence de leur propre père. Par pudeur. Par respect. Mais c'est venu tout seul. Les bras de mon père. Le seul endroit où je me sentais comprise, totalement. Le refuge, oui, de ça, je suis sûre. Le père. En lui le savoir, l'amour, la tendresse, les rires.

M'imprégner de ces instants, avant, avant cette chose terrible autour de laquelle je tourne depuis le début et que je n'arrive pas à dire. Pas encore.

Chez elle, on parle aussi en français. Souvent. Sa mère qui s'appelle Fleur, Zahra, n'est pas tout à fait comme ses tantes. Elle porte des robes courtes et fleuries, serrées à la taille qu'elle a si fine. Elle ne se couvre pas la tête et n'a pas de tatouages sur le visage. Tout le jour, elle emplit la maison de chansons, de refrains... Paroles qui chantent dans sa tête, encore...

> *« Je revois les grands sombreros et les mantilles*
> *J'entends les airs de fandango et séguedilles*
> *Que chantent les señoritas si brunes*
> *Quand luit sur la plazza... la lune... »*

Tout est là. L'air. La voix si juste de la mère. Les rayons de soleil dans ses yeux et sur son visage quand elle regardait le père. C'était peut-être ça le bonheur. Cette lumière. Avant.

– Mais alors, les Arabes peuvent aussi parler français ?

Parler une langue. La faire sienne sans toutefois perdre de vue qu'elle ne nous appartient pas. Inextricable souffrance. Entrer dans cette certitude. Mais quand ? comment ?

Dans la ferme du grand-père, elle va pieds nus, pour faire comme les cousins et cousines, si nombreux qu'elle a du mal à s'y retrouver. Mais elle a la plante des pieds fragile, elle n'est pas habituée à se déchausser et les pointes tranchantes des cailloux l'empêchent de courir aussi vite qu'eux. Est-ce seulement pour cela qu'elle ne partage pas leurs jeux ? Pourtant elle ne dédaigne pas les poupées de chiffons et de roseaux fabriquées avec amour par ses cousines.

Dans la ferme du grand-père, il y a beaucoup de pièces sombres, sans fenêtres, à peine meublées. Quelques matelas et des tapis de laine tissés par les tantes. Toutes les chambres sont ouvertes sur une cour centrale pavée de pierres plates. La cour est immense, ensoleillée, trop ensoleillée.

Mais oui, je sais, les lieux ne sont immenses et lumineux que dans les souvenirs d'enfant.

Dans la cour, pas un coin d'ombre, pas un arbre, pas même un de ces pieds de vigne vierge, obstiné

31

et étique, qu'il est habituel de trouver devant chaque maison dans les douars. Poussière. Poussière. Les escaliers inégaux et périlleux, les murets de pierre branlants. Pas d'étage. Des toits... mais au fait, comment étaient les toits ? en pente ? en terrasses ? couverts de tuiles ? Elle n'a peut-être jamais levé les yeux, exploré ce qui était inaccessible... le monde s'arrêtait à sa hauteur. Le souvenir seul des dalles de pierre surchauffées de la cour où personne, pas même les enfants, ne se risquait aux heures de canicule. Les chuchotements et les rires des femmes dans les pièces, les odeurs de cuisine, de viande rôtie mêlées aux odeurs de fumier émanant des étables et de l'écurie. Elle, elle est assez petite pour se glisser parfois dans la pièce réservée aux hommes et partager leur repas autour de la table basse, assise entre son père et son oncle, malgré l'interdiction. Les femmes mangent dans une autre pièce, après avoir servi les hommes.

D'où vient, si intense, cette impression de liberté ? Sans doute des espaces nus et déserts, au-delà des champs de blé, à perte de vue. L'écho des cris d'enfants répercutés loin, très loin. Épis arrachés, encore verts, goût des grains de blé encore tendres.

Nudité implacable.

Dans le vacillement de la lumière, sur le chemin caillouteux, elle entrevoit les silhouettes de son oncle et de son père. Son père d'abord. Tête nue, massif, trapu. Il porte un costume. Pantalon et veste sombres, chemise claire. Ses lunettes accrochent des éclats de lumière. Un peu en retrait, son oncle. Pantalon très large, saroual à plis multiples. Chemise claire et turban blanc. Lui aussi. Comme le grandpère. Tous ses oncles, tous les occupants de la ferme portent le costume traditionnel. Mais alors pourquoi son père ne s'habille-t-il pas comme eux ? Pourquoi n'habite-t-il pas à la ferme ?

Ne pas penser ce mot. Différence. Pas encore. Essayer de garder l'équilibre, les bras tendus, avancer doucement.

Au-dessus d'un grand portail, une inscription : « ÉCOLE MIXTE DE GARÇONS ». On disait mixte pour distinguer ces écoles des autres, les écoles indigènes, réservées aux Arabes, elle le saura plus tard. C'est là qu'elle habite. Un appartement avec terrasse au premier étage. De part et d'autre du vestibule, les chambres, la cuisine équipée, toute blanche. Leurs voisins : d'autres familles d'instituteurs. Sur le même palier. Familles avec enfants. Après les heures de classe, elle joue dans la cour avec ses frères et avec Annie, Françoise, Pauline, qui ont à peu près le même âge qu'elle. Elle a une grande poupée, avec de vrais cheveux. Une poupée offerte en de mémorables circonstances par un inspecteur de passage, devant lequel elle avait un jour récité, sans s'arrêter, sans se tromper une seule fois, une dizaine de récitations. Quarante, dit encore aujourd'hui sa mère, jurant ses grands dieux qu'elle n'exagère pas.

Le plus souvent, elle est sur la terrasse. Lieu privilégié pour ses exploits imaginaires et ses lectures. Angles précis et nets. Là aussi, un espace immense à ses yeux d'enfant, entouré de murs assez hauts pour qu'elle se sente protégée.

Toute la famille est installée autour de la table haute. Elle est assise entre ses deux frères, juste en face du père qui la surveille. Qui la force à manger cette soupe rouge où surnagent des morceaux de viande et des petits bouts de légumes. Elle se remplit la bouche, cuillerée après cuillerée. Elle a peur du regard terrible de son père. Mange ! Elle ne peut pas avaler. Elle a la bouche pleine. Elle étouffe. Dans un ultime effort, elle vainc sa peur, elle la sort d'elle en un seul jet. La suite ? Non. Rien d'autre. Elle n'a donc pas été réprimandée ou battue. N'a pas conservé le souvenir cuisant de la colère qui a dû s'ensuivre. Pas une seule fois punie par son père.

Effacées les punitions ? Ah ! voilà, j'ai trouvé. La première brèche. Peut-être un début de réponse à la question. Être punie pour une faute que l'on n'a pas commise. Ou du moins pour des faits indépendants de notre volonté. Ces mots commencent à entamer l'enveloppe du cocon soigneusement tissé autour des souvenirs. Entrer dans le vif de la mémoire.

Janvier 1957.
Enfin un point d'ancrage. Un repère sûr. Quoi de plus solide qu'une date pour étayer des souvenirs ?

Certifiée conforme par les livres d'histoire. Grève générale de sept jours décrétée par le FLN, Front de libération nationale.

L'air est glacial. La main serrée dans la main de son père, elle traverse les rues du village. C'est lui qui est venu la chercher à l'école, pour la première fois. D'habitude, à cette heure, il travaille encore. Il porte le petit cartable dans lequel il a remis le carnet scolaire après avoir pris connaissance de son classement. Il l'a lu sans rien dire. ZÉRO dans toutes les matières. Zéro en lecture. Zéro en dictée. Zéro en calcul. Zéro en écriture. Rang : 27e sur 27. La maîtresse a distribué les carnets sans rien dire. Les autres fois, elle annonçait les classements, donnait des images aux trois premières et sermonnait celles qui n'avaient pas la moyenne. Moment attendu avec impatience par la fillette qui rentrait chez elle en courant pour annoncer à son père qu'elle était première. Parce qu'elle était toujours première « *la petite Mauresque* » comme l'avait fait remarquer un jour à la sortie de l'école une mère dépitée.

Ce n'est pas de sa faute si cette fois elle est dernière. Elle n'est pas allée à l'école pendant toute la semaine. Et c'était la semaine des compositions. La maîtresse en personne était venue jusqu'à la maison pour les prévenir. Son père a été inflexible. Il n'a pas enseigné, n'a pas non plus envoyé ses enfants à l'école, obéissant au mot d'ordre. C'est tout. Il le sait donc bien que ce n'est pas de sa faute à elle. Elle se tait, tente en vain de ravaler la boule de chagrin qui remonte dans sa gorge. Parce qu'elle ne comprend pas pourquoi il a décidé qu'elle n'irait pas à l'école. D'habitude, avant les compositions, c'est lui qui lui fait réciter les leçons, une formalité pour elle, dit-il souvent en riant, fier de cette enfant qui apprend tout très vite et pose tant de questions pour comprendre le monde.

Que je retrouve l'exacte nature de mes sentiments à cet instant. Que j'écarte, sans concession au présent, ceux qui sont venus se greffer bien plus tard et qui font corps avec tout ce qui s'est accumulé en moi depuis, au point qu'il m'est difficile de faire le tri.

Première tentation, dire la peine. Les larmes. En rajouter même. La peur d'une sanction aussi. Cela semble tellement évident ! Mais non. Rien de tout cela.

Il y a aussi ce moi qui s'impose avec une telle force qu'il me fait rejeter tous les autres : humiliation. Première humiliation. Tellement forte, tellement inacceptable qu'elle a déterminé tout le reste. Ma vie. Mais ce mot est trop difficile pour être pensé par un enfant. Trop lourd. « Première expérience de l'injustice » me semble plus adapté. Première étape d'un long, d'un douloureux apprentissage.

– ... parce que nous sommes arabes.

Au milieu du terrain vague en face de l'école, le père s'arrête. Ils sont presque arrivés à la maison. Il prend sa fille dans ses bras. La serre avec force. Elle a le visage tout contre le sien, les bras autour de son cou. Il parle. Elle écoute.

Avidement. Elle saisit les mots, s'en empare, pour toujours. Pour plus tard. Comme si elle savait que cet instant ne serait suivi d'aucun autre pareil.

Retrouver à présent les paroles de mon père. J'en perçois immédiatement la tendresse, le désir de me convaincre en cherchant les mots justes. Ses mots... ancrés en moi. À jamais.

Guerre. Ennemis. Français. Arabes. Libération. Il faut qu'elle sache. Sous le même soleil, des hommes se font la guerre. Lui et les siens se battent pour ne plus être humiliés. Pour avoir le droit d'être libres sur une terre qui leur appartient. Allons donc ! Cet homme si fort, si juste, craint de tous ses élèves, respecté par ses collègues, un homme humilié ? Trop difficile à accepter. Elle se laisse cependant pénétrer par toutes ces paroles dites doucement, gravement, sans haine justement. Elle l'écoute jusqu'au bout, sans poser les questions qui se bousculent dans sa tête.

Elle écarquille les yeux, cherche la guerre autour d'elle, dans ces lieux si paisibles. Là, ces hommes qui vont d'un pas lent, ces enfants qui jouent à dévaler la rue sur une planche à roulettes, ces femmes qui bavardaient tout à l'heure près de l'école, et tous les autres dans le village, tous ceux qu'elle voit tous les jours, tous sont en guerre ? Non, elle ne voit rien.

37

Mais elle le croit, et elle sait qu'à cet instant sa vie vient de basculer, même si les jours suivants elle n'en montre rien.

Elle finit par poser une question, une seule : « Est-ce que je pourrais continuer à jouer avec Annie, Françoise et Pauline ? »

Elle continue à jouer avec elles. Mais elle a désormais un autre regard. Elle sait qu'elle n'est pas tout à fait comme elles. Elle voudrait comprendre, saisir les différences, la différence. Elle observe et écoute tout ce qui se dit avec une acuité nouvelle.

Dans la ferme de son grand-père, des hommes viennent parfois au milieu de la nuit et s'enferment avec son père et ses oncles dans la grande pièce du milieu, pendant des heures. Ils font beaucoup de bruit avec leurs grosses chaussures et elle les entend parler. Elle a du mal à s'endormir maintenant. Les femmes, entre elles, les appellent *frères*, en baissant la voix. Au matin, lorsque les enfants se réveillent, les *frères* sont partis.

Je ne les ai jamais vus. Ne résonnent dans ma mémoire que le bruit des voix, des pas lourds et traînants et le grincement des portes refermées.

7 février 1957.

Cette nuit-là, la guerre a fait irruption dans sa maison alors que tout le monde dormait. Elle a pris l'apparence d'hommes en uniformes et en armes.

Des militaires français accompagnés d'un homme à la tête recouverte d'une cagoule noire, un homme auquel son père s'est adressé en arabe et dont il a répété plusieurs fois le nom avec étonnement. Ils sont entrés chez eux au milieu de la nuit. Deux d'entre eux se sont enfermés avec son père dans le salon. Elle entendait ce qu'ils disaient. Réseau, cellule, fellaga. Ils parlaient à haute voix. Si fort que le petit frère, un bébé, s'est réveillé et s'est mis à pleurer. Sa mère, en larmes, allait et venait dans la chambre à coucher, le berçant pour qu'il cessât de crier. Pétrifiés de peur, serrés les uns contre les autres, les enfants regardaient.

Ils étaient cinq. Ils ont tout saccagé. Ils cherchaient certainement quelque chose. Ils ont jeté par terre les cahiers de son père, les livres, même ses livres à elle. Ils ont ouvert les armoires, vidé les placards, éventré les matelas, les sacs de farine, de semoule, de lentilles, ils ont fouillé partout mais n'ont rien trouvé. Puis ils sont partis, emmenant son père. La mère pleurait tellement que, pour ne pas se mettre à pleurer elle aussi, la petite fille s'est mise à ranger, à ramasser les papiers. Puis ils se sont tous réfugiés dans le grand lit défait.

Des deux journées suivantes, je n'ai aucun souvenir.

Puis, brisant l'attente, dans la torpeur d'un après-midi, il y eut le cri de sa mère. Il y eut ses hurlements. Ses imprécations. Et très vite, le départ pour un autre village. Une autre maison.

D'autres mots encore : torture, exécution, mort. Et plus tard encore, martyre. Mais par-dessus tout, absence.

Ils s'éloignent sur le chemin. Mon père, mes oncles exécutés le même jour ne sont plus que des silhouettes indistinctes dans le vacillement de ma mémoire.

Plus tard, des années plus tard, elle ira se recueillir sur la tombe. Une fosse commune, un simple talus sans fleurs ni pierre tombale. Nu. Nudité implacable.

SANG-MÊLÉ

Roland Brival

Roland Brival

Né à la Martinique, en 1950.

Dix romans publiés dont les trois derniers chez Phébus : *Bô* (1998), *Biguine-blues* (1999), *La Robe rouge* (2000).

Auteur-compositeur/chanteur : dernier album paru, *Intense* (distr. Night and Day), une exploration de la veine du *blues créole* (1999).

Plasticien : une exposition en préparation pour 2001, *Sagaies et Cibles noires*.

Venise. Carnaval. Sous les arcades du palais des Doges, les valses viennoises se succèdent. Une nausée soudaine. Vacillant sur mes jambes, je m'adosse à un mur et j'arrache le masque sous lequel j'étouffe. Tout est devenu flou, les silhouettes, les visages. L'espace d'une minute aveuglante... Quelqu'un m'appelle. Je reconnais la voix affolée de ma mère, mais l'enfant à qui elle s'adresse a disparu, englouti par la fête qui tourbillonne.

Je débarque à Fort-de-France. L'instituteur de l'école du Diamant s'est démené pour que j'obtienne une bourse qui aidera ma mère à payer mes frais d'internat. On en a parlé, elle et moi. Pas question qu'on habite ensemble. L'affaire est entendue. Je suis grand. Presque devenu un homme. Je dois apprendre à me débrouiller seul.

Enfermé entre les murs du lycée Schœlcher parmi la bande avec laquelle je partage la salle d'études et le dortoir, c'est là qu'il m'arrive de me sentir pousser des ailes, des ailes pour traverser la mer et atterrir en France où j'imagine encore naïvement pouvoir trouver les pièces manquantes du puzzle de ma vie.

Pour l'instant, je dois m'armer de patience. Me plonger dans les pages de ces livres dont dépend le sursis qu'on m'accorde, ces livres dont le miracle suffit à faire de moi l'égal de ces gosses de riches qui, tous les soirs, rentrent chez eux, dans les belles villas climatisées de la route de Didier ou celles du Petit-Paradis. Nous, les internes, n'avons droit que le samedi et le dimanche aux retours en famille. Le temps d'attraper un bus à la gare routière de la pointe Simon pour remonter dans nos campagnes, dans nos bourgades de pêcheurs, là où la civilisation n'existe plus qu'à l'état de vague promesse, les jours d'élections municipales.

Fini, pour moi, le temps de ces allées et venues dans le ventre de l'île. Ma grand-mère, man' Élodie, est morte trois mois après mon arrivée à la capitale et, à l'exception de mes tantes et de mes oncles que nous ne voyons plus, ma mère et moi sommes désormais seuls au monde.

Tous les samedis, je prends à pied la route qui descend du lycée vers la ville et je marche jusqu'au quartier de Sainte-Thérèse, pour rejoindre la pension de la rue Aliker où elle habite.

« Elle fait la plonge dans un restaurant ! » m'a lâché man' Élodie, un jour où on causait de tout ça. « Ta mère est redevenue l'esclave des Blancs, comme si jamais, nous autres, nous n'avions lutté pour réclamer le droit, pour nos enfants, à la même dignité que tous les hommes... »

De cela, nous ne parlons jamais lorsque je la retrouve dans la petite chambre du premier étage de la pension où, le temps de mon séjour, elle déroule pour moi un matelas sur le plancher, au pied de son lit. Nous n'avons que des conversations ordinaires, un peu comme deux étrangers que le hasard force-rait à lier connaissance. Pour elle, j'habite déjà un monde différent, celui des « enfants-saints » qui lisent dans les livres et qui, plus tard, auront la chance d'être nommés « fonctionnaires ». Je n'ai pas été jeté à la rue comme mes cousins, Céleste, devenu docker à seize ans, ou Janvion, passé apprenti-mécanicien après son troisième échec au certificat d'études. Même la couleur de ma peau a échappé au désastre, semble dire le regard de ma mère, lorsqu'elle me recommande de me frotter tous les soirs le visage au gant de crin et d'éviter de m'expo-ser trop longtemps au soleil. Je ne suis pas « mar-ron-clair » comme mon père, ou « bleu-vanille » comme nos cousins de la branche maternelle. Je suis une sorte d'hybride, le plus « réussi » de la famille. Une manière de caméléon, dont les yeux clairs sont l'objet de sa fierté secrète.

Les amies de ma mère débarquent souvent dans l'après-midi pour d'interminables séances de « ma-querellage » aux dépens de la terre entière. Elles ne manquent jamais de surenchérir en m'aperce-vant :

« Qu'il est beau, ton fils ! *Missié ta-là !* On dirait un Blanc ou un mulâtre de Saint-Domingue ! Tu es sûre de l'avoir eu avec ton Barnabé, cet enfant-là ? Ça ne serait pas plutôt le fils d'un béké ? Dis-nous, un peu ! Avec ces "La Rose" chez qui tu travaillais, c'était comment hein ? »

Ma mère, invariablement, se fâche :

« Je vous ai déjà dit... »

Les femmes éclatent de rire, me prennent dans leurs bras et, pour chasser le malaise qu'elles découvrent dans mes yeux, rivalisent d'attentions à mon égard. L'argent de poche. Les places de cinéma. Les billets pour les matches de football au stade Louis-Achille. Devenu le fils adoptif d'une tribu de squaws exilées à la ville, je n'ai plus qu'à tendre la main pour voir comblés tous mes caprices.

Ma mère en devient hystérique :

– Je vous ai déjà dit de ne pas gâter cet enfant ! Je ne l'ai pas élevé pour qu'il devienne un coureur de jupons comme son père !

– Tu l'as élevé pourquoi, alors ?, s'écrie, un dimanche, Justine, la plus hardie des amies de ma mère, celle à qui revient toujours le dernier mot lors de leurs discussions. Pour en faire une fille ?

Une explosion de rires lui répond.

À ma consternation, les trois autres femmes présentes se dressent, unanimes :

« Oui, une fille ! On va l'habiller en fille ! »

Une heure plus tard, bon gré mal gré, entouré d'une cour de femelles en délire, je me retrouve déguisé en « claudette », à arpenter les trottoirs de la ville envahis par la foule du carnaval.

De partout résonnent les tambours. L'air vibre de ces piétinements de chevaux emballés dont les conques et les trompes-bambou évoquent les hennissements furieux, et que dirigent les meneurs de cortèges, rassemblés sur des chars, où gesticulent danseurs en extase et musiciens de bals accrochés à leurs clarinettes et à leurs banjos.

Plus angoissé que je ne veux le montrer par ce déguisement qui réveille mes pires cauchemars – cette minijupe rose, cette perruque blonde affublée de rubans pailletés, ce soutien-gorge plaqué contre ma poitrine sous un tee-shirt moulant à l'effigie de Claude François, ces chaussures rouges à talons qui me font boiter – je sens la mer battre à mes tempes comme au fond d'un tunnel.

De la foule, je vois tout à coup surgir le visage familier d'Adelmon, l'un de mes copains d'internat. Le feu aux joues, je me détourne, terrorisé à l'idée d'être reconnu. Je cherche en vain des yeux ma mère et ses compagnes, sans doute attardées auprès d'une marchande de sorbet créole. Je m'apprête à rebrousser chemin pour aller les rejoindre, lorsqu'une main vient doucement se poser sur mon épaule.

– Où allez-vous comme ça, mademoiselle ?, susurre Adelmon, d'une voix flûtée. C'est moi qui vous fais peur ?

Je me moque des sarcasmes qui pourront me tomber sur le dos durant toute la semaine. Être confondu avec une fille par un de mes copains du lycée, c'est le genre de choses que je ne peux pas laisser passer :

– Adelmon, c'est moi ! Johan !

– Vous dites ça, mademoiselle, mais c'est pour vous moquer de moi... s'entête l'imbécile. Vous devez être la sœur ou la cousine de Johan ? C'est vrai que vous lui ressemblez !

Je me retiens de hurler.

J'arrache perruque, boucles d'oreilles, collier et je me frotte convulsivement la bouche pour effacer la souillure de ce rouge à lèvres qui, à présent, me révulse.

Adelmon, sidéré, assiste sans un mot à la métamorphose. Sa bouche s'arque autour d'un mot qui ne vient pas, d'un juron imprononçable ou d'un silence dont la portée se mesure en siècles de distance.

Pour finir, il me crache au visage d'un air dégoûté. Avant que j'aie pu réagir, je le vois fendre la foule comme un nageur emporté par les eaux et plonger, tête baissée, dans le premier cortège de diables rouges qui passe.

Je reste là, désemparé, ma perruque à la main. Je ne sais pas ce que je donnerais pour avoir le droit de mourir tout de suite, en me jetant du haut d'un manguier, une corde accrochée à mon cou...

LE SIGNE DU DESTIN

Guy Cabort-Masson

Guy Cabort-Masson

Né le 12 juin 1937 en Martinique.

Diplômé de l'école de Saint-Cyr-Coëtquidan. Licencié de sociologie auprès de la faculté d'Alger.

Officier de l'armée française, il rejoint le Front de libération nationale algérien en 1961 ; il est condamné par contumace à vingt ans d'emprisonnement.

Amnistié en 1969, il rentre en Martinique.

Depuis 1960, G. Cabort-Masson milite pour la reconnaissance et la souveraineté du peuple martiniquais.

G. Cabort-Masson est journaliste, romancier et essayiste.

> Aux écrivains d'un âge certain
> et de certains pays qui, par pudeur,
> ont écrit-travesti leur réalité enfantine.

Mon souvenir le plus ancien est né à l'école. Pas à cause de cette émotion liée aux beaux habits étrennés, à l'entrée solennelle dans l'école de la République ou à la déchirure larmoyante d'avec manman, ainsi soit-il, non.

Si je me souviens de cette entrée en tite classe c'est parce qu'à la fin de la récréation la cloche pendue au sommet d'une potence a tinté pour que le petit troupeau rentre, seul, moi, planté juste sous la potence. Les enfants sont alignés et je suis toujours sous la cloche, courte figue auréolée de mouches affairées. Maîtresse me regarde, tout le monde me regarde. On ne rit pas parce que maîtresse ne rit pas. On est quelqu'un de famille dans le quartier. Ma grande sœur s'approche, elle veut m'entraîner. Planté dans mes souliers, bien lesté par une torche de caca qui me cimente les fesses, les cuisses et les genoux, je ne veux pas bouger.

Ma première journée à l'école s'était achevée avant dix heures. Nulle trace d'humiliation parce que, dès le lendemain, j'émerveillai la classe en étant le seul à savoir présenter poliment mon couteau. J'avais de l'éducation, sûrement. Depuis, j'ingurgitai avec bonheur les programmes exotiques conçus pour nous à Paris, puisque ma famille m'avait bien préparé à leur assimilation : depuis longtemps, elle avait eu la chance de fuir les champs de canne de la colonie, la houe, la fourche et autres instruments de torture bucolique. Ce fut ma dernière année d'insouciance.

L'angoisse

C'était une nuit d'octobre 1942. Je suis arraché de mon lit, souliété, déposé sur la dernière marche au niveau de la route. Ma petite sœur de cinq ans vient se blottir à mes côtés. Mère arrive harnachée et mon grand demi-frère, Jésus, avec un balluchon plus gros que lui. Il fait froid et nuit. Comme tant d'autres, l'exode rural nous happait !

Bien plus tard, entre l'aube et l'heure du café, nous arrivons à Fort-de-France, le chef-lieu, dans sa lisière quoi. Dans une maison terrible, haut-et-bas, pleine de bruits de bois, de vent qui siffle. Il y a des carreaux avec des dessins sous les pieds. J'ai failli tout à l'heure descendre un long escalier sur la tête. Et tout autour de cette baraque, un espace vert de quelques mètres de large. Cernée par des voisins.

Il y avait au rez-de-chaussée, dans un petit cabinet, deux pots de chambre en métal émaillé. Fort bien. Deux jours plus tard, je sentis les regards accuseurs de mes sœurs et de Mère me reprochant l'odeur nauséabonde qui venait du cabinet. Comment s'en débarrasser ? Pas d'eau courante, pas de service de tinette, pas de feuillée, pas une rivière à moins de cinq kilomètres. Comment faisaient-elles, mes sœurs et Mère pour ne jamais aller au cabinet, le nôtre ? Heureusement, nous étions en période d'hivernage et la pluie s'abattait régulière, transformant les moindres rides de la terre en ravines, nouées en torrents dans les bas-côtés de notre chemin vers la route goudronnée, jusqu'à la ville. C'est à cette eau vive que je confiais mes restes.

Décembre, avec l'arrivée de la saison de carême sec, il m'a fallu trouver autre démagogie... Et c'est là que l'école me sauva.

Ma réputation de fortiche à l'école s'était répandue dans tout le quartier de Sainte-Thérèse, et les chefs des familles aisées m'appelaient, m'offraient des friandises, m'invitaient à pénétrer dans leur foyer luxueux. Je me laissai prendre. J'étais le bon exemple pour les progénitures. Ainsi je conquis la charge de précepteur des plus petits. Avec les parents et les enfants plus grands, j'entretenais la conversation sur des sujets sérieux. En contrepartie je mangeais à ma faim et surtout, surtout, je pouvais déféquer en bonne aisance.

Je devins un vrai coucou, un expert en l'art de saprophyter.

Si j'étais fort en thème, c'est parce que je lisais tout écrit de passage, respectant le prospectus autant que le grand livre. Et aussi j'allais au cinéma chaque jeudi. Lorsque j'avais terminé un roman je le regardais une, deux minutes et je me sentais frustré. Après avoir vu un film je revoyais l'histoire dans ma tête et je me sentais oublié. Toute cette littérature écrite ou imagée parlait de tous les problèmes de tous les gens et jamais de mon angoisse scatologique.

Il m'est arrivé d'envier ces hordes de Chinois ou d'Hindous décrits dans mon livre de géographie, décimés par la famine. Rien à manger donc rien à rendre. Le Nirvana sans effort !

Étais-je anormal ? Je le crus un peu jusqu'à ce jour où je découvris, dans un tiroir de lingerie fine d'une de mes tantes, un petit livre intitulé *La Nausée* où l'auteur parla (enfin !) de quelqu'un qui *pleuvait par en bas*. Ah ! « L'honnête homme ! » m'écriai-je comme Zadig, pour remercier Jean-Paul Sartre d'avoir chié cette unique et extraordinaire image. Jusqu'ici l'art a pour objet la tête, le cœur et le bas-ventre de l'homme en occultant son *derrière*. Art inachevé, il a son tabou.

Et vive les vacances que je passais toujours dans la campagne pleine d'eaux à Saint-Joseph. Je nageais dans l'heureuseté. Quoique...

J'habitais chez mon parrain. Riche, avare très. Aucune aisance dans sa vaste villa de colon... Il faisait toujours ses besoins la nuit. Quand il pleuvait, Parrain déféquait dans le salon en criant « ra ra ! » à chaque envoi et, quand il ne pleuvait pas, il portait une chaise cannée amputée de son treillis en rotin dans la cour et ratatait. Le matin, il appelait la bonne à vraiment tout faire et lui minaudait, selon la consistance de son œuvre : « J'ai fait comme un canard (ou comme un lapin ou comme un cochon). À nettoyer de suite ! »

Ce salaud dérisoirait mon angoisse originale.

Enfin, il y avait, toute proche, la rivière Blanche, la plus belle eau vive du pays qui m'offrait une théorie de trônes et une abondante végétation de *sic sic*, bienvenu arbuste aux feuilles duveteuses idoines pour la délicatesse dc mon épiderme anal. Ah !... C'était le paradis.

Sérénité

En fin de classe de seconde, je réussis au concours de l'École normale et je devins d'un coup interne au lycée. J'avais à ma disposition tout un étage de goguenots. Peu à peu, je me surpris à vivre dans deux sphères. Le jour en classe j'écoutais les profs et je lisais romans et bandes dessinées si bien que mes copains me surnommèrent *Buck Jones* ou *Mandrake*. La nuit, dès quatre heures du matin, je m'installais sur un w.-c. et j'apprenais mes leçons, faisais mes devoirs. On croyait que je réussissais sans rien faire !

Un jour, je ne sais plus lequel, mais certain d'être sur mon trône d'internat, l'esprit bien au parfum, je méditais sur les dieux et les grands hommes qui ont toujours quelque chose de commun. J'ai alors vu le *Roy Soleil* en été, loin de son faste et de ses gens, en équilibre instable dans une feuillée entourée d'une guérite. Il grimace à cause d'une colique qui lui tord les boyaux. Il pleut en gouttes sanguinolentes, puantes et lourdes. Les mouches grasses voletant du fond d'aisance au nez bourbonien. C'est l'hiver, il claque des dents. À la fin, il prend un papier ou chiffon même de soie et il passe la main, elle glisse, s'embourbe au fond des ongles. Invinciblement, plusieurs fois il porte sa dextre aux naseaux. Exactement comme tous les écoliers, le Roy se dresse, il passe ses doigts sur le mur d'en face et trace des rupestres chocolat ou bruns. Il lève son pantalon et le referme sur son odeur.

Il n'y a pas de grand homme sur un pot.

Depuis, chaque fois que j'ai eu affaire à un *supérieur*, quand il parle, je le regarde au centre des sourcils et je me marre ! Il est sur ses gogues, sa main va glisser et plaf il pue son personnage ! Ainsi mourut l'autorité.

L'âge de raison

À la mi-décembre 1960, parti de l'école de Saint-Cyr en uniforme (pour qu'on me permette d'entrer) je louai une chambre chère dans le plus grand hôtel des Champs-Élysées. Je m'enfermai, jetai mes habits sur un fauteuil et arpentai à petits pas mon hôtel pour contempler le luxe des bois, des cuirs, des rideaux, des tapis, des cuivres... Tout nu, comme à la naissance, mais tout riche. Puis j'entrai dans la salle d'eau. Je contemplai *mes* meubles signés *Jacob Delafon*.

Avec orgueil je grimpai sur ce trône d'un luxe occidental. D'étrons en pets, entre borborygmes et bouffées de senteurs, je rendis mon enfance.

Grâce à l'école, j'étais définitivement sorti de l'insécurité sanieuse coloniale. Je montais définitivement dans le camp des *civilisés*, de ceux qui possèdent chez soi, en toute propriété privée, ce que j'appelais *le discriminant*, c'est-à-dire l'électricité, l'eau courante et les W.-C.

Entrer dans un camp signifie que ses racines sont dans un autre, précédent. Je savais que je ferais toujours partie du camp des *damnés de la merde*.

CONFITURES ET BOBOS

Aziz Chouaki

Aziz Chouaki

Aziz Chouaki est né en Algérie, il s'installe en France en 1991.

Il a publié des poèmes, des romans, des pièces de théâtre, dont :

L'Étoile d'Alger (Marsa, 1997).

Les Oranges (Mille et Une Nuits, 1998).

Aigle (Gallimard, 2000).

Les Oranges, mise en scène de l'auteur, TILF, La Villette, 1997. Reprise par Laurent Vacher, en 1998, tournée dans toute la France.

Bazar, mise en scène Pascale Spengler, création le 29 novembre 1999, Strasbourg.

Le Père indigne, mai 2000 à Gare au Théâtre, Vitry, mise en scène Mustapha Aouar.

El maestro (Éditions Théâtrales, 2001).

Vingt ans à Alger, photographies de Bruno Hadji (Éditions Alternatives, 2001).

La prime enfance, c'est d'abord, immédiat sur la langue, le goût de la neige. Vers trois ans, sous le caoutchouc gris à capuche, le froid qui rougit les joues, les chèvres à faire rentrer avec Ouardia Ivahiren, future grande maquisarde de la guerre à venir. Femme valant légion d'hommes par sa seule force physique, la mémoire du village cèle. Légendes, proverbes, chansons.

Ouardia Ivahiren m'a appris à faire caca dans les buissons, et à m'essuyer avec des feuilles de figuier. Elle m'a appris, aussi, à tenir des petits poussins dans ma main, sans les écraser.

Montagnes de Kabylie, farouches et rudes, aux hivers à pierre fendre.

C'est là que je suis né.

Un mois d'août, le 14 de l'année 1951, plus de quarante degrés, cigales déjà cisaillant le silence, il est six heures du matin. Forte odeur de bouse de vache craquelée par le soleil, pas loin un coq chante et un âne brait, presque en canon. C'est là que le jour a frappé premier mon regard. Je suis sorti de ma mère, Djamila Chouaki née Hadjerès, dix-sept ans.

Canular administratif : on m'a inscrit le 17, parce qu'il fallait trois jours de voyage avant d'atteindre l'Administration.

Le père déjà absent, toujours absent, à jamais absent. La béance à vie, j'ai mal à ce bras coupé. À reconstruire, donc, cette béquille psychique. Enfant unique, gageure dans un pays de ces régions, je sentais déjà sur mon front le cinglant signe du sort : je suis l'enfant sans père. J'ai décidé, donc, de m'en bricoler, des pères, avec mes jouets d'alors, une vieille toupie, un morceau de parapluie, une serviette. Chaque fois que je fabriquais quelque chose, c'était comme un bout de père que je m'octroyais. Je devenais mon propre père. La consubstantiation, le Fils devient le Père.

À moi, soudain, dans mes menottes roses, le labeur permanent de tisser des virtualités paternelles, les oncles, les habiles et forts grands cousins avec comme facture, parfois, de salaces siestes dans le gré secret du silence.

J'ai quatre ans, la guerre éclate, partout, et dans ma tête surtout. Les soldats français, les mitraillages, les rafles. La Kabylie est en flammes, je m'accroche à la robe de maman.

Sous la houlette du grand-père, un des premiers normaliens musulmans, brillant instituteur, grand récitant de Hugo, Lamartine, la famille s'installe en ville, dans une banlieue d'Alger, j'ai cinq ans.

Ça s'appelle Maison carrée, et notre quartier : Belfort (y avait même une réplique du lion de Belfort sur la place Jeanne-d'Arc).

Ma mère me lit des contes de Perrault, ma grand-mère des contes kabyles. Dans la rue, une autre langue m'appelle, pieds nus, elle me siffle des chansons, me clin d'œil des rythmes, c'est l'arabe parlé.

Et ses mille et une portes.

Curieux cocktail que celui-ci : la découverte *en même temps* de la ville et de l'arabe. Je comprenais une bonne fois pour toutes, que non, l'univers, au sens ptoléméen, n'était pas kabyle. Qu'il ne s'arrêtait pas à la haie d'oliviers, et à la source d'en bas.

À l'école maternelle, on avait des œufs en chocolat, à Pâques, avec du papier brillant autour, et on fêtait Noël, doux Jésus.

À la maison, les adultes parlent de choses que je ne comprends pas encore. Guerre, maquis, moudjahidine, embuscades, attentats...

Moi, j'apprenais la rue, avec la peau de mes mains, de mes pieds, de ma langue. Football sauvage avec des ballons de chiffons, les batailles rangées entre deux rues. La loi de la meute, la ruse aux rituels très codés, fallait toujours être vigilant.

On était aussi groupies d'un poivrot du quartier, Fassi, oh poivrot vite dit, aristocrate désargenté, tel était, en fait, le vrai fond de son âme. Une dizaine de gamins à le regarder déplier une serviette propre, l'étaler soigneusement par terre. Puis, de son grand couffin, il sortait une assiette, un couvert, un poulet, des frites, et... deux bouteilles de vin (y en avait six dans le couffin, on les avait comptées). Pendant le festin, il nous contait Paris, les bagarres et les belles, Istanbul, Genève, oui, Fassi, ancien mac de Belleville, ancien boxeur, champion de France welter en dix-neuf cent... ?

Qui eût pu.

Mais qui... chut.

Le tout arrosé de Shakespeare, Maurice Chevalier, Belmondo, et de bonne vieille sagesse bourlingue, jusqu'à finir vers la cinquième bouteille à bégayer et à ne proférer, la langue pâteuse, qu'un seul mot, d'ailleurs inaudible, pendant des heures.

La plupart du temps, nos jeux suivaient les saisons, toupies, billes, et les très compliquées parties de noyaux d'abricot.

École communale, la très belle Mme Helleu, au doux regard outremer. Elle nous expliquait l'omelette en en faisant une, sur le vieux réchaud de la classe. Inoubliable le mix de l'odeur des œufs avec celle du parfum de Mme Helleu. On se reverra vingt ans plus tard, à Rome, hasard absolument objectif.

En classe, je joue souvent avec Jacques Gillet et Pierre Fourcade, mes amis français. Les pieds-noirs sont encore là, Sebaoni le charcutier a une très belle vitrine, foie gras, jambon, saucisson, soubressade, porcelet à la crème.

On habite à la frontière d'un quartier musulman

et d'un quartier pied-noir, ça se passe bien pour le moment.

Découverte de la télé, en noir et blanc, chez des voisins pieds-noirs, Paulette, et ses enfants. Se dégustait goulue, la magie de l'image, moi seul quelques minutes face au poste bien lustré, répondant aux gentillesses de madame la speakerine, « au revoir », « merci », « vous êtes très gentille », croyant à l'immanence de l'interactivité.

Un jour, Rachid Gheboub se bagarre avec le petit Gonzalez. De son balcon, la mère, Espagnole, crie :
– Déjalo, déjalo ! (Laisse-le, lâche-le.)

Depuis ce jour, la rue décida d'appeler Rachid Gheboub : « Déjalo », qui, avec le temps, est devenu « Téjalo ».

Aujourd'hui, Rachib Gheboub, cinquante-cinq ans, père de famille, est toujours appelé Rachid Téjalo. Ou Téjalo tout court (« T'as pas vu Téjalo ? »).

Tous les matins, je vais acheter le lait, deux litres, soixante centimes chez M. Tombini, le pain chez Mme Espada, six gros pains, quatre francs vingt. Dans le quartier, mon meilleur ami français, c'est Tony Maillor, après l'école, on joue à Ivanhoé, avec de longues planches.

J'ai six ans, mon oncle m'inscrit chez les scouts, le groupe « El Ikdam », du quartier. J'y découvre la Nation et son rituel, chants patriotiques, feux de joie avec drapeaux et oriflammes, serments absolus dans les fringantes tenues, fanions vert et orange.

À la maison on parle 35 % kabyle, 55 % français et 10 % arabe, grosse famille d'instituteurs kabyles. Sociotype courant, dans l'Algérois.

Famille moyenne, beaucoup de gosses. Cinq pièces sur deux étages, autour d'une grande cour, carrelage en damier, rouge et blanc. Mon grand-père, ma grand-mère, cinq filles dont trois mariées, vivant ici avec leurs maris et cinq gosses pour l'une, quatre pour l'autre. Plus ma mère et moi. Les deux garçons, un marié quatre gosses. Ça fait sacrément du monde. Pour un deux trois quatre salaires. Ça devait se goupiller nerveux, les contributions mensuelles.

Côte d'azur, colonie de vacances, six ans. Grande première onction de la musique. Un soir, tombe dans mes doigts un violon, le goût du son, la magie de la musique.

À jamais près de moi.

Roulements de bendirs, il y a un monde fou dans la maison, des tantes, des oncles, des enfants, les youyous. C'est ma circoncision, été doré, lourds parfums, bendirs roulant l'air, tout le temps. Klaxons dehors, de grandes cousines acheminent les immenses plats de couscous. Dans la cuisine, l'état-major, la régie générale : tata Lila, tata Chafika, ma mère, tata Zineb, tata Saliha, pour le noyau dur. Et la flopée de flopées de cousines, les petites mains.

En gandoura de soie blanche, entre ma mère et d'autres femmes, on me dirige vers l'officiant, Tahar, le coiffeur du quartier. Vertiges, en traversant la foule, on me tient par les aisselles, des oncles étalent un tissu blanc au-dessus de mon nombril, pour que je ne voie rien, je sens une main sous ma gandoura, qui triture mon zizi, et zzzzac.

L'écho est encore là, à vif, aujourd'hui, et je suis rentré dans la race.

Je *fais* partie.

Quand les grands parlent à voix basse, à la maison, c'est qu'il s'agit de Mohamed. Mon oncle maternel, monté jeune au maquis, venait d'avoir son bac.

Un jour un moudjahid est venu en cachette à la maison, toute la famille l'entourait. Pendant qu'il prenait un café et des gâteaux, il nous donnait des nouvelles, son visage était ombré d'une douce couleur orange, on aurait dit qu'elle venait de lui, la lumière. Pour nous, enfants, c'était un ange, sous la main du Ciel contre l'adversité, Dieu l'avait voulu ainsi.

C'était déjà fini pour la France, la mythologie de la résistance avait gagné l'enfance.

Les années soixante, derrière le twist et le calypso, se déjoue l'histoire d'Algérie, le putsch, l'OAS, les plasticages, les voitures noires, qui très lentement mitraillent les trottoirs des quartiers musulmans. Une fois, miracle ? Hasard ? J'ai vu la voiture noire remonter la rue, les mitraillettes briller et aboyer, le feu, les impacts sur le mur, les hurlements. À hauteur de tête de miochc dc huit ans.

Si je ne m'étais pas baissé.

Ensuite, on ramassait les douilles, les balles perdues. On en faisait des bijoux, pendentifs, bagues.

Très souvent, dans les salons, ça faisait chic de
mettre sur un buffet des douilles en cuivre sur des
napperons, lustrées tous les jours, avec cendre et
citron.

Mon premier ramadan, ma mère m'a autorisé à
faire quelques jours, récompense : un bel œuf bouilli,
rien que pour moi. Soirées de ramadan, place Jeanne-
d'Arc, un orchestre chaabi, les gens détendus, le
ventre plein, à cloper avec cafés, gâteaux et mielle-
ries arabes. Drôle d'odeur de drôle de tabac, aussi,
que les grands se passaient en cachette.

Le 5 juillet 1962, l'indépendance. Bardé des couleurs nationales, je défile avec les scouts dans Alger
en plein orgasme collectif, dans une foule folle à
délire.

Je ne sais même pas, à l'heure d'aujourd'hui,
comment j'ai fait pour rentrer à la maison.

Dans la peur et les larmes, les pieds-noirs du quartier font leurs bagages. Dès qu'une famille s'en va,
hop c'est la razzia, à piquer tout ce qui bouge, à
occuper *de facto* les lieux. Mme Poirel voulait liqui-
der des choses, un frigo, des meubles, un piano. Elle
m'avait dit :

– Ta famille, vous êtes des gens bien, j'ai des
choses à bazarder, je préfère que ça soit vous. Même

la maison, pour vous je la donne pour une bouchée de pain.

J'étais fier d'annoncer ça à la famille, mais grand-père... Il a dit oui pour les meubles, mais non catégorique pour la maison :

– Tous ces pillards, ils seront punis par la loi, plus tard, vous verrez.

Tu parles, Pépé...

Pendant que le socialisme bureaucratique et populaire met en place son imbroglio de boulons, de képis, et de turbans, moi je découvre la guitare. Un grand cousin en jouait très bien. J'ai découvert ma lune à moi, en voyant ses doigts agiles parcourir le manche, et le son, les cordes brillantes.

Décidé, la guitare, je plonge, *Jeux interdits*, *Le Pénitencier*, puis des choses gitanes, des choses Beatles, arabe, blues, jazz... Ma vieille guitare sèche ne me suffisait plus, au secours maman, vite une guitare électrique, une vraie !

Chantage, c'est l'année du brevet :

– Si tu réussis, je t'achèterai une guitare électrique.

Chose promise chose due. Elle revenait de Rome, vacances chez tata Nouara, son mari était diplomate. On attendait maman à l'aéroport, moi ruisselant d'impatience. Et je l'ai vue, non pas ma mère, mais elle, la guitare, parmi les bagages, dans son bel étui bleu. Des heures longues et humides d'éternité à jouer dans la cour, sur la terrasse, dans la chambre, à me regarder dans la glace, avec la guitare en bandoulière, quelques pas de jeu de scène rock.

J'ai quinze ans, avec des potes, on fait un groupe, les Kids, une caisse claire, une cymbale, deux guitares électriques sur un seul ampli. On lit *Salut les copains* et on écoute les nouvelles chansons sur Europe 1, Adamo, Johnny, France Gall, et aussi les Stones, les Loving Spoonful, Elvis Presley, bien sûr, considéré, à titre... Euh... comme un pur produit algérien, tellement la complicité...

À déguster, les imitateurs d'Elvis, dans le quartier, yaourtant *Tutti Frutti*, à genoux au sol, à pleurer en dansant.

Au lycée, l'arabisation avance gravement dru, vraiment. Les profs sont syriens, égyptiens, irakiens, teint bleu glabre, moustache noir jais. Ils ne comprennent pas notre arabe, le leur c'est du chinois pour nous, donc c'est clair, quadrature de tous les cercles.

C'est l'âge des lectures, aussi, Camus, Pascal, Descartes, Flaubert... je perds la foi, et découvre... Cupidon. Premières amours, le cœur comme organe central du cosmos, le lyrisme comme unique modalité. Le tout, évidemment, sous la très haute et très correcte égide de Platon, car c'est de l'Idée d'amour, en fait, dont j'étais le total et savoureux féal.

Les pubères Algériennes, aux œillades si andalouses.

Nègre de l'amour, vers 16 ans, Moh est amoureux de Nadia, c'est moi qui écris ses lettres, Moh me ramène les réponses, et à moi de raviver la flamme, lyrisme débridé, préciosité néoclassique.

– Je t'offrirai ces soleils bouclés d'or, ces golfes galbés turquoise où les anges et les fées tissent la légende de notre amour.

Comme ça, pendant trois ou quatre ans.

Le Splendid, cinéma de quartier, James Dean, *Mangala fille des Indes*, Jerry Lewis, *Les Dix Commandements*, Fernandel.

M. Baptiste, le patron, coupait lui-même les tickets, et renvoyait les enfants pieds nus, ou sales.

– Allez ouste, espèce de falampillo...

Jusqu'à présent, j'ignore ce que veut dire ce mot : « falampillo ».

On achetait nos places en vendant des illustrés, *Pépito*, *Zembla*, *Rodéo*, *Pim Pam Poum*. Dans le noir de la salle, l'écran absorbait nos fantasmes, nos projections, on en sortait les yeux et les mains pleins d'étoiles.

Ahmed Djidi, meilleur raconteur de films du quartier.

Pour une poignée de dollars, il faisait tout, la bande-son, les dialogues, le hennissement des chevaux, les éperons, des pas de bottes, le miaulement des balles.

Tout ça en arabe dialectal, bien sûr.

Cependant que le logiciel araboïde finit de terminaliser irréversiblement ses réseaux de contrôle, sa logique de prohibition.

L'idéologie FLN régente toutes les expressions, interdit de sourire, interdit d'être beau, ça fait pas sérieux.

El Moudjahid, unique quotidien en français pendant trente ans (aujourd'hui, j'ai encore du mal à y croire : un seul journal ?), on disait :

– T'as pas le journal ?

La politique ? Parfaite esthétique tiers mondo-marxienne, en arabe de burin, écrit au ciment national brut avec truelle et fil à plomb.

Plus de Français à la télé. Seule une chaîne radio émet en français, la Chaîne Trois. D'où, grande astuce des fous de foot les jours de finale de coupe d'Algérie : allumer la télé pour les images, baisser le son, allumer la Chaîne Trois et monter le son.

La veille du bac, rafle anti-cheveux longs, je suis pris, boule à zéro. Le lendemain, parmi les toutes fraîches filles en fleurs, je rends feuille blanche à mon pays.

Quelque chose de l'ordre de l'intime, du sacrement, venait de casser, pour très longtemps.

Ceci pour dire qu'aujourd'hui, cette enfance, à portée de cœur, maintient avec force et justice la vérité de sa nature.

À savoir : beaucoup d'Algériens, entre trente ans et plus dans ces années 2000, peuvent être considérés, moi inclus, avec toute la sérénité que ma conscience m'autorise, comme des pieds-noirs musulmans à part entière.

Du boulot, pour l'anthropologie.

L'ENFANT DE L'INSTITUTEUR

Emmanuel Dongala

Emmanuel Dongala

Né le 16 juillet 1941 à Alindao (République centrafricaine).

Fondateur, ancien président de l'Association nationale des écrivains du Congo (ANEC) et de la section congolaise du PEN International. Directeur du théâtre de l'Éclair (Brazzaville).

Actuellement professeur de chimie à Simons-Rock College of Bard (Massachusetts) et de la littérature d'Afrique francophone à Bard College (New York).

Il a publié des romans, des nouvelles dont :

Un fusil dans la main, un poème dans la poche, roman (Albin Michel, 1973), traduit en plusieurs langues.

Le Feu des origines, roman (Albin Michel, 1987), à paraître en anglais aux États-Unis.

Jazz et Vin de palme, nouvelles (Hatier, 1982 ; Le Serpent à plumes, 1996).

Les petits garçons naissent aussi des étoiles, roman (Le Serpent à plumes, 1998).

Certains naissent fils de chef de village, moi je suis né fils d'instituteur et j'ai découvert très tôt que cette naissance me plaçait parmi les enfants privilégiés du village. J'ai eu cette révélation soudaine le jour où nous avons été surpris, volant des fruits dans le verger du « commandant ».

À cette époque-là, le « commandant » était le chef du district, le représentant de la France, puissance coloniale, et tous les commandants étaient blancs. Il était le maître absolu des lieux, ses décisions étaient sans appel. Un indigène qui le croisait sans soulever son chapeau pour le saluer était susceptible d'être jeté en prison. Sa résidence, évidemment la plus importante du district, protégée en permanence par des gardes armés, était entourée d'un grand mur. À côté de la résidence s'épanouissait un grand verger avec manguiers, papayers, goyaviers, orangers, mandariniers, avocatiers, pamplemoussiers, « safoutiers », entretenu par des prisonniers. Voler un fruit chez le commandant était l'autoroute la plus sûre pour aller directement du verger à la prison. D'ail-

75

leurs, qui pouvait même y penser... sinon nous, dans notre inconscience, mon frère Jean-Pierre, qui selon les circonstances se surnommait Kit Carson (cowboy des BD que nous lisions à l'époque) ou Hakim (autre héros de bandes dessinées que nous dénommions « aventures »), mon frère Jean-Baptiste dit Buck John, et celui qui s'était fait prendre, mon cousin Passi, qui, je ne sais pour quelles obscures raisons, avait choisi le sobriquet de Koblet, un coureur suisse assez connu alors, dont il avait entendu le nom lors d'un reportage sur le tour de France. Et évidemment, moi-même qui, à onze ans, étais le plus âgé du groupe.

Émerveillés par la richesse du verger et les grappes mûres et juteuses, nous oubliâmes toute prudence et nous nous mîmes à babiller bruyamment comme des oiseaux en liberté lorsque soudain apparut le gardien des lieux.

Nous nous éparpillâmes, mais, manque de pot, notre cousin Passi heurta une ronce, tomba et avant qu'il n'ait eu le temps de se relever, le garde-chiourme l'avait saisi par le col de la chemise, jeté à terre et lui avait attaché les jambes avec une liane. Le visage tordu de cruauté sadique, il le frappait avec une longue tige de canne à sucre. Aux cris du cousin, nous sommes revenus sur nos pas. Surpris de nous voir, l'homme s'arrêta un moment de frapper. Ne sachant que faire pour l'amadouer, nous nous mîmes à genoux devant lui, le suppliant, nous adressant à lui avec des mots dégoulinant d'un respect

appuyé : « Papa, Monsieur, Chef, Grand Chef, par-
donne-nous, ne nous emmène pas devant le commandant, aie pitié de nous, nous ne sommes que
des enfants... » Hélas, toutes ces simagrées ne
l'adoucirent pas, bien au contraire, car il se mit à
nous pourchasser avec son bâton, à nous injurier.
Finalement, pour appuyer sa détermination à nous
punir, il demanda qui était notre père pour aller
l'arrêter aussi et le mettre en prison avec nous.

Après quelques hésitations, nous confessâmes que
notre père était M. Dongala, l'instituteur.

La révélation de ce nom eut l'effet inattendu
d'arrêter, brutalement, le bras du cerbère qui s'ap-
prêtait à abattre de nouveau son bâton sur la tête de
Passi.

– Quoi ? Vous là enfants instituteur ?

– Oui, fis-je.

– Vous là, enfants instituteur ? reprit-il ; non seulement sa hargne était tout à fait tombée, mais voilà
que pointaient de la crainte et du respect dans sa
voix. Nous approuvâmes tous de la tête.

– Bon, moi là je suis très gentil. Je vous laisse
partir.

Nous ne nous le fîmes pas répéter deux fois.

Cet incident laissa une marque immarcescible
dans ma mémoire car je me suis mis à soupçonner
que si des gamins pouvaient jouir de l'impunité tout
simplement parce qu'ils étaient « les enfants de
l'instituteur », être instituteur dans un village était

certainement quelque chose d'important. Pourquoi ? Parce qu'il était l'homme le plus instruit. Certes, il y avait déjà à l'époque plusieurs lettrés « indigènes » comme on disait alors, mais de tous ces lettrés, non seulement l'instituteur connaissait davantage, mais il était le seul capable de transmettre cette connaissance. Il était capable d'apprendre aux enfants analphabètes à lire et à parler français, il formait les futurs cadres.

Si donc dans les années cinquante, une dizaine d'années à peine avant l'indépendance, un instituteur dans un village revêtait encore cette importance, combien ne l'était-il pas à la fin des années trente, lorsque jeune enseignant « indigène », mon père débarqua dans un petit village de l'Oubangui-Chari nommé Alindao, lieu de ma naissance, pour y créer la première école ?

André Dongala – c'est son nom –, né en 1922, a commencé l'école à la fin de l'année 1929. Comment eut-il l'idée d'aller à l'école ? Il m'a raconté.

À cette époque, la population ne reconnaissait pas la valeur d'une éducation scolaire, et en plus une éducation à l'école des colons blancs. Aller à l'école c'était ne plus grandir à côté des vieux du village, ce qui voulait dire ne pas être préparé à prendre un jour sa place d'adulte dans sa société, non seulement pour des raisons de tradition, mais aussi pour des raisons objectivement pratiques. Comment se nourrir quand on ne savait pas chasser ni cultiver la terre ?

Comment devenir adulte et responsable si on n'avait pas vécu quotidiennement avec les récits des vieux du village, si on ne savait pas décrypter la sagesse qui arrivait codée dans les dictons et proverbes ? Non, l'école ne portait pas en elle l'avenir, elle était au contraire destructrice de sociétés. Face à cette réticence envers l'école, l'administration coloniale se vit obligée de mettre en place des stratégies efficaces pour recruter des élèves pour ses écoles.

Coup de chance ? Hasard ? Toujours est-il qu'en 1937, l'administration coloniale décida d'offrir une année supplémentaire de formation à ceux qui avaient terminé leur « certificat d'études indigènes » et ouvrit ainsi une école appelée école supérieure Édouard-Renard, ESER, en hommage au gouverneur général éponyme, récemment décédé dans un accident d'avion lors d'une tournée. Cette école, unique, était installée à Brazzaville et servait toute l'Afrique-Équatoriale française, l'AEF, qui comprenait les territoires du Moyen-Congo, du Gabon, du Tchad et de l'Oubangui-Chari, chacun devenu une république lors des indépendances de 1960. André Dongala fit partie de cette première promotion de l'ESER, avec d'autres noms très connus au Congo comme Alphonse Massemba-Debat, qui deviendra plus tard président de la République. Enfin en 1938, il passait avec succès son diplôme de « moniteur de l'enseignement » – le plus haut diplôme du pays.

Je n'ai jamais su les détails de sa première rencontre avec ma mère, ni comment il lui a fait la cour.

Maman de son côté n'est pas plus bavarde. Elle m'a juste confié un jour, un peu amusée, que la première fois que papa était venu demander officiellement sa main, il avait décidé d'arriver à vélo pour impressionner ses futurs beaux-parents, un vélo de marque Raleigh qu'il venait de s'offrir grâce à son salaire mensuel de trois cent trente-trois francs trente-trois CFA. Manque de pot, il fit une chute spectaculaire devant les dignitaires de la famille de sa future épouse rassemblés pour l'événement, chute qui déchira son pantalon aux genoux, lui écorcha les coudes et lui laissa une grosse bosse au front. Accident de freinage ? Émotion ? Confus et penaud, ne sachant comment rétablir sa dignité de « maître de l'école » entraînée avec lui dans sa chute, il remonta sur sa bécane... et fit demi-tour sans attendre son reste. Elle a promis de me raconter toute l'histoire un jour. Patient, j'attends.

La société Yakoma de ma mère étant patrilinéaire, pour elle j'étais Kongo comme mon père et il était dans l'ordre naturel des choses qu'un jour je les quitte pour rentrer au Congo où ma lignée ancestrale avait ses racines. En revanche, les sociétés de la partie sud du Congo sont matrilinéaires : ainsi, pour ma famille paternelle, j'appartenais à la famille de ma mère, j'étais un « mou goué na Bangui », c'est-à-dire un homme de l'Oubangui, un homme du Nord.

Oui, j'étais un « enfant de saison de pluies » pour les uns et un « enfant de saison sèche » pour les autres et tous avaient raison. Mais ce n'était pas tout.

Je suis né gaucher.

En ce temps-là, être gaucher était considéré comme une tare. Mes parents m'ont donc forcé à devenir le droitier que je suis aujourd'hui, en utilisant des moyens dont je ne me souviens plus, sauf que j'ai entendu une fois ma mère dire qu'on m'immobilisait souvent le bras gauche. Parfois je me demande si les circuits neuronaux de mon cerveau ne se sont pas embrouillés dans ce jeu de miroirs gauche/droite.

L'école du district était le lieu de notre vie. C'est là que j'ai rencontré pour la première fois des Pygmées car papa, directeur de l'école, s'était mis en tête de leur apporter l'instruction universelle. Il faut vous dire qu'il avait tellement assimilé les enseignements qu'il nous dispensait dans les cours d'instruction civique sur la laïcité de l'école, l'égalité et la fraternité de la République qu'ils étaient devenus pour lui un acte de foi. C'est donc tout naturellement que la croisade pour l'instruction universelle devait le conduire chez les Pygmées.

Komono, dans la région du Niari, au Congo, où il enseignait alors, est situé en pleine forêt équatoriale, en une zone où la population pygmée est relativement dense. Les relations entre les Bantous et les Pygmées de la région étaient d'ordre féodal : ainsi plusieurs

Pygmées « appartenaient » à certaines familles qui les faisaient travailler pour eux non seulement comme chasseurs ou agriculteurs, mais aussi comme porteurs. Pour ces personnes, manger avec un pygmée ou utiliser un verre dans lequel un pygmée avait bu était tabou. Ils étaient traités comme l'on traitait les intouchables en Inde, si l'on considère que certains parents interdisaient à leurs enfants de leur serrer la main. Le côté ironique de ces relations était que ceux-là mêmes qui traitaient les pygmées comme des serfs et les méprisaient, éprouvaient un respect caché et une crainte révérencielle devant leur connaissance du monde ésotérique de la forêt profonde. Elfes sylvestres et grands ordonnateurs de l'univers mystérieux de la forêt, ils étaient maîtres de la nuit et régnaient sur les animaux, les arbres et les herbes.

Après de multiples explorations en forêt, mon père débarqua un matin dans la cour de l'école avec cinq jeunes Pygmées. C'était l'événement ! Mes frères et moi n'en avions jamais vu, mais nous étions au courant de tout ce qui se racontait sur eux : ils étaient sales car ils n'aimaient pas se laver, ils ne supportaient pas la lumière du jour à force de vivre dans la pénombre des bois, et surtout, ils étaient tous nains. Nous courûmes donc à toute vitesse à l'école, dès que nous entendîmes crier : « Les Pygmées sont là, les Pygmées sont là ! »

Ce n'est pas du premier coup d'œil que nous les repérâmes, mais seulement quand un élève nous les eut pointés du doigt : ils n'étaient pas les monstres que nous attendions. Ils étaient petits de taille certes, mais j'avais une tante paternelle qui était encore plus petite, et elle n'était pas pygmée, que je sache. Leurs cheveux ras étaient crépus et extrêmement emmêlés, mais les miens étaient pareils quand je ne m'étais pas peigné pendant plusieurs jours. La seule différence immédiatement perceptible était que le teint de leur peau tirait un peu plus sur le jaune que la nôtre, mais là encore, pas plus que la peau de nos femmes qui utilisaient ces produits bizarres qu'on trouvait sur le marché pour éclaircir leur teint. À part cela, ils étaient tout à fait comme nous.

Poussés par une curiosité naturelle, nous voulions faire d'eux nos amis malgré leur timidité ; nous avons essayé en vain de forcer leur camaraderie en les invitant à jouer aux billes. C'est finalement grâce à un miroir que la glace fut rompue entre nous, si je peux m'exprimer ainsi. Je ne sais plus si c'est mon frère Hakim ou mon cousin Koblet qui le premier tendit un miroir à l'un d'eux. D'abord intrigué, puis franchement amusé, il le tendit à ses amis. Ils se le passèrent de main en main en faisant des grimaces comiques et en riant. Ils étaient ravis. Cela les amusait vraiment et c'était la première chose qu'ils nous demandaient chaque matin, quand ils nous voyaient. Nous finîmes d'ailleurs par leur en faire cadeau. Malheureusement pour nous et surtout pour mon père, au bout d'un mois, tous les Pygmées s'enfuirent et regagnèrent leurs familles dans la forêt.

Maintenant quand j'y pense, je m'étonne de l'idée saugrenue de mon père d'obliger les Pygmées à parler la langue française, comme si faire de nous les descendants d'ancêtres gaulois ne suffisait pas !

Les mois de vacances couraient de juillet à septembre, c'est-à-dire pendant la saison sèche, la période où l'on préparait les champs pour les plantations de la prochaine saison de pluies. Nous accompagnions Maman en forêt pour brûler, sarcler, faire des sillons et des buttes pour planter l'arachide, le maïs, parfois des patates douces et des taros après que les hommes ont coupé les grands arbres. Nous quittions le village tôt le matin pour ne rentrer que très tard dans l'après-midi, souvent au coucher du soleil. La forêt était un spectacle. Nous savions piéger les oiseaux avec la glu extraite de plantes autres que l'hévéa. Quand la glu collait leurs ailes et qu'ils ne pouvaient plus voler, nous les attrapions alors facilement. Les oiseaux que nous recherchions le plus étaient les hirondelles, non pas parce que nous aimions déguster leur chair, mais à cause de leur cœur que nous utilisions pour préparer nos « troubles » selon, paraît-il, une recette qui venait des Indes ! Nous appelions « troubles » les gris-gris que nous fabriquions pour « troubler » le cœur des filles que nous voulions conquérir.

Grâce à maman, nous avions appris à connaître quelques plantes médicinales mais nous avions aussi inventé nos propres remèdes. Ainsi, quand nous nous blessions au pied en butant sur une ronce ou sur un caillou ou tout simplement à cause des feuilles d'herbes tranchantes comme un rasoir qui s'alignaient souvent le long du sentier que nous empruntions, nous urinions sur la plaie avant de la recouvrir de terre qu'on laissait sécher. Aujourd'hui encore je ne comprends pas par quel miracle aucun d'entre nous n'a été victime du tétanos.

À la fin de la journée de travail, sur le chemin du retour, nous nous arrêtions toujours à la rivière où nous nous ébattions dans l'eau fraîche, avant de remplir nos dames-jeannes et nos cuvettes d'eau potable que nous transportions sur nos têtes. Nous rentrions épuisés. Mais notre plus grande récompense nous attendait après le repas du soir, quand maman se mettait à nous raconter des contes.

Avec mon père, c'était un monde tout à fait différent, celui des livres. Il y en avait toujours à la maison. De vieilles encyclopédies Larousse dont nous ne savions pas comment il se les procurait, des journaux pédagogiques pour instituteurs édités en France et auxquels il était abonné, des livres scolaires, des catalogues comme ceux de Manufrance à Saint-Étienne ou de La Redoute à Roubaix, grands magasins français de vente par correspondance. Ces vieux catalogues, ces vieux journaux, mais surtout ces vieilles encyclopédies ouvraient pour moi un monde magique. C'est là que j'ai pour la première fois lu les noms de Pasteur, Diderot, Voltaire, Hugo.

C'est là que pour la première fois j'ai découvert les images des planètes du système solaire (je me souviens, on ne connaissait à Saturne qu'un seul anneau !), c'est là que j'ai appris qu'il y avait un monde de l'infiniment petit que l'on ne pouvait voir à l'œil nu. Tout aussi fascinants étaient les livres scolaires dont papa tirait les dictées. La plupart de ces textes étaient extraits d'œuvres d'auteurs qui n'ont pas laissé un souvenir impérissable dans la littérature française.

Je voulais tout savoir, je voulais tout connaître.

ENFANT, JE N'INVENTAIS PAS D'HISTOIRES

Kossi Efoui

Kossi Efoui

Né au Togo, en 1962. Il vit à Toulouse.

Auteur de théâtre, il publie et monte des pièces, dont :

Le Carrefour (Théâtre Sud, L'Harmattan, 1990).

Récupérations (1992), *La Malaventure* (1993), *Le Petit Frère du rameur* (1994) (Lansman éditeur).

Que la terre vous soit légère (Le Bruit des autres, 1995).

Il a publié des romans :

La Polka (Le Seuil, 1998).

La Fabrique de cérémonies (Le Seuil, 2001).

Enfant, je n'inventais pas d'histoires. Il y en avait déjà trop dans le silence de mon père crayonnant des anges. Trop dans le coup de patte félin de ma sœur attrapant des gâteaux d'arachide dont je ne sais plus aujourd'hui s'ils ont été mangés ou si on les a laissés pourrir. Trop dans ce que j'apprenais à l'école sous le nom de géographie et qui me semblait une entourloupe. Tracés, subdivisions coloriées à l'intérieur d'un rectangle rappelant vaguement la coupe longitudinale d'un chat assis sur une planche d'anatomie, le ventre grouillant de chiffres, de pointillés, de flèches dans une mélasse de couleurs. Je disais : « Je ne veux pas regarder là-dedans. » Je refusais de regarder au dedans de ces cartes trompe-l'œil où la symbolique de la géographie parasitait les impressions, les sensations restées vives, les images que je me suis fabriquées durant ma traversée de ce pays.

Ce que je savais de ce pays avant d'aller à l'école : un entrelacement de routes, de chemins, de sentiers apparaissant et disparaissant, comme si routes, chemins et sentiers se moquaient de tous les cartographes à qui ils n'apparaissaient qu'une fois, prenant la pose pour ainsi dire, pour le plaisir de figurer dans un manuel de géographie et, une fois leur existence signalée et fixée par la légende, se dispersaient où bon leur semblait. Car il n'était pas rare, pour le voyageur, de s'entendre dire : « La route ne passe plus par ici. » « Le sentier a disparu l'année dernière. » « Le chemin de fer continue plus loin mais la locomotive s'arrête ici. » Ce que je savais du pays : un labyrinthe où nous jouions à courir devant je ne savais quoi, ou plutôt à fuir cette chose qui avait lancé mon père sur les routes, pas encore père à l'époque (ou alors seulement de lui-même, tentant à l'époque cette chose impossible d'être son propre père à neuf ans, de pouvoir se pousser soi-même dans le dos comme un vent favorable). À l'époque, il n'était qu'un enfant de neuf ans lançant son défi à l'assemblée familiale trois mois après l'enterrement de son père : « Je vous interdirai de me faire peur. »

(Puis ayant ramassé ses cliques et ses claques, c'est-à-dire le peigne en plastique dépassant de la poche arrière, il s'était enfoncé dans la nuit. À la mort de son propre père il avait dû tout quitter, s'enfuir et laisser derrière lui ce qu'il appelait de vastes champs de palmiers à huile, une maison familiale, toutes choses que la famille tentaculaire, un grouillement d'oncles, de tantes, de neveux, d'alliés se disputeront dans une frénésie que masquait miraculeusement le respectueux défilé des hommes en toge noire et des femmes aux yeux ombrés par des foulards qui leur mangeaient fronts et sourcils. Une famille dont l'enfant n'attendait ni mots d'amour ni mots de consolation, mais des mots de justice.)

Ce que le vert foncé de la légende sur les cartes ne savait pas raconter, c'étaient les métamorphoses de la forêt telles que mon père les avait surprises cette nuit-là et raconté d'autres nuits durant, et telles quelles, dans une tentative de livre, j'essaierai plus tard de les raconter.

Il manquait à toutes ces cartes ce que je savais voir en l'espace d'une seconde lorsque ma mère se baissait pour récolter des légumes et que mon poids sur son dos semblait entraîner le haut du corps à une vitesse vertigineuse vers le sol, ma mère raidissant la colonne vertébrale pour s'équilibrer et réajustant d'une main le pagne par lequel j'étais attaché à son dos et, dans la petite seconde nécessaire à la coordination de tous ces mouvements, le ciel qui se renversait,

je voyais le ciel qui se renversait et la terre qui fuyait, c'est-à-dire que les ramassis de verdure entre le rouge des tomates mûres à tomber et le rouge des piments mûrs à tomber se dispersait alors, la terre qui se rapetissait et qui s'aplanissait, la terre se réduisant à une fine nappe avec des taches de couleurs écrasées au pochoir, la terre sans épaisseur, l'herbe sans épaisseur, la tige sans épaisseur, l'arbre sans épaisseur, la terre enfin plate et tout ce qu'elle faisait semblant de contenir enfin aplati,

et dans cette seconde que dure une absence soudaine de vent (ou alors ce que mon propre souffle

coupé me faisait ressentir comme une absence soudaine de vent) je me sentais complice de la terre qui
faisait le mort. Ma mère se baissait et sa main libre,
celle qui ne réajustait pas le pagne, chassait le vent,
et le ciel se déséquilibrait et moi, je n'en finissais pas
de tomber avec le ciel et de rire avec la terre qui
déroutait le ciel. Et de rire avec ma mère qui réussis-
sait, par le geste même de chasser le vent, à faire
surgir entre ses doigts une tomate tout en chair. Une
tomate tout en chair qui, à l'instant, faisait encore
semblant d'être un motif peint à ras de terre, ma mère
attrapant au passage un papillon qui, à l'instant, faisait encore mine de fuir alors qu'en réalité, ma mère
se tenait immobile, un piège, dans l'angle serré de la
perspective : tout ça que j'ai essayé, une fois, et ce
n'était pas la première fois, de dire dans un livre :

> [...] au moment où le soleil se dénudait, son
> noyau se délayant en fine coulée, perdant au
> fur et à mesure l'orange et le rouge, se déla-
> vant, se délitant dans le grisâtre de terre, je riais
> avec ma mère qui réussissait à chasser le vent,
> je riais avec ma mère parce que j'avais, en un
> clin d'œil, compris ce que « tuer le temps »
> veut dire.

Ma mère se relevait et s'abaissait. Et tout recommençait et le monde entier recommençait à se faire
malicieusement la nique dans son dos et moi, qui
étais sur ce dos-là, j'étais seul complice de ce monde
entier, le ciel faisant semblant de tomber, la terre et

tout ce qu'elle contenait jouant avec la perspective pour faire semblant de fuir, ma mère faisant les poches au vent qu'elle chassait et des tomates rouges et des bulbes d'oignon apparaissaient par miracle entre ses doigts, ma mère dans le rôle du prestidigitateur palpant le vide. Et le ciel faisant « Han », un concentré de grondement, la voix du pasteur : « Le ciel et la terre passeront. Le ciel et la terre passeront. » La voix du pasteur dans la rue, à l'entrée d'une maison, à l'orée d'un champ. Parfois dans la nuit on l'entendait crier : « Le ciel et la terre passeront », en réponse à un salut lointain. Et même une fois « Le ciel et la terre passeront » en plein milieu d'un match de football, bonne raison pour se dépêcher de marquer un but sur la pelouse bénie du Seigneur, contre nos mécréants d'adversaires, gamins mal lavés qui n'allaient pas à l'église, qui riaient de la nouvelle naissance par le baptême, immersion dans la lagune, saluée par le braillement de vingt petits nègres :

> *Blanc, plus blanc que neige*
> *Blanc, plus blanc que neige*

La même chanson à présent reprise en chœur par les supporters et : « Le ciel et la terre passeront » avant la moindre occasion de but. Et le Saint-Esprit n'aura pas eu toute la latitude nécessaire pour démontrer qu'Il pouvait guider un ballon correctement lobé par un gosse de chrétienne, lui-même décrassé par le baptême, Il pouvait, le Saint-Esprit, guider ce mal-béni de ballon et l'envoyer niquer dans la lucarne tous les démons invisibles qui faisaient passer nos tirs par-dessus la barre transversale des buts gardés par un suppôt de Satan, à peine neuf ans et déjà suppôt du Malin, petit bonhomme à la bouille de souris sur laquelle aucun œil expérimenté n'aurait su déceler la marque du Tentateur, et qui n'arrêtait pas, signe évident d'une possession maléfique, de danser et de nous montrer sa langue tordue et longue tandis que nos tirs se perdaient dans le ciel.

Lavé dans le sang de l'agneau
Je serai plus blanc que la neige.

Ce refrain

Lavé dans le sang de l'agneau
Je serai plus blanc que la neige

qu'il fallait chanter avant d'avoir droit de jouer au beau ballon de foot sur la pelouse de l'Église baptiste, habillé de beaux maillots avec plein de sang de Jésus dessus, ce refrain qui était toute une aventure, que j'ai récemment essayé, dans une tentative de livre, de raconter avec un lot de personnages, vingt gamins exactement, habillés de beaux maillots, les seuls du quartier à tenir dans les mains de beaux ballons, les seuls du quartier à chanter à un enterrement :

Blanc, plus blanc que neige
Blanc, plus blanc que neige
Lavé dans le sang de Jésus
Je serai plus blanc que la neige.

Une vague tristesse dont on ne savait plus si elle était due à l'avancée du soir sur les tombes, à la maigreur des manguiers en fleurs, au martyre du chœur d'enfants embarqués dans une sombre affaire de blanchiment de peau pécheresse.

Et ce n'est sans doute pas un hasard si, dans la tentative de livre dont je parle, cette aventure est relatée lors de l'enterrement du père.

Le père pour l'instant assis.

– Là, disait mon père.

La petite croix indiquant sur le bout de papier en forme de trapèze qu'il ne lâchera plus, qu'il avait découpé en forme de trapèze pour bien se figurer le bout de terre qu'il était sur le point d'acquérir.

Mon père tenant dans sa main le trapèze taillé dans du carton, couleur de cette terre qui n'était encore qu'un amas de broussaille desséchée qu'il s'appropriait avant même d'avoir payé le premier centime de sa valeur en argent, qu'il s'appropriait par cette opération magique, l'effort conjugué de la parole : Là, là, là (mon père tenant à bout de bras le morceau de carton, effigie, réceptacle de tous ses désirs) et du geste, revenir sur la croix, appuyer, repasser, revenir là-dessus du bout du crayon, poinçonnant, Là, là, là (mon père tenant à bout de bras le morceau de carton, on aurait dit clouant dans le carton à chaque passage du crayon le moindre de ses vœux, se bénissant, se bénissant ainsi, les muscles bandés, comme si ce n'était pas là du papier qu'il tenait dans sa main, du papier découpé selon la forme du bout de terre qu'il allait acquérir, mais la terre elle-même, avec son poids de sable, de cailloux, de ténèbres et de morts, colossale). Là, là, là, burinant dans la terre son désir, devenant colosse dans son face-à-face, son dialogue dérouté avec la terre colossale que lui cédait non pas un homme fait de chair et sang, un propriétaire terrien quelconque, mais une puissance au-delà des tractations humaines, une puissance réparatrice et justicière que mon père invoquait, chantant l'unique syllabe : « Là, là », repassant le crayon sur la petite croix là, qui désignait l'emplacement de l'atelier qu'il allait se faire construire. Qu'il se construisait déjà par la manipulation de l'unique syllabe : « Là, là, là » – à chaque répétition une nouvelle pierre à l'édifice qui n'était pour le moment visible que de lui seul. Manipulant le symbole de ce qui n'était pas seulement un lopin de terre qu'il était sur le point d'acheter, mais aussi d'une victoire sur l'antique expropriation dont il avait été victime.

Il traçait et retraçait la croix avec les mêmes gestes, la même obstination qu'à l'époque où il s'était mis à dessiner des anges. Créatures volantes, hommes-oiseaux aux pieds nus surgissant, enveloppés d'une nuée, sous les coups de crayon de mon père.

Le regard admirateur du pasteur le fixant, s'abaissant sur le dessin. Le pasteur citait de mémoire : « Je vis un autre ange puissant, qui descendait du ciel, enveloppé d'une nuée ; au-dessus de sa tête était l'arc-en-ciel, et son visage était comme le soleil, et ses pieds comme des colonnes de feu. »

Mon père dessinait des anges.

Le pasteur : « Notre Père, Lui seul Dieu, n'existe que pour une seule fin : la consolation, la consolation, la consolation, la consolation... »

Et mon père passait son crayon à toute vitesse sur le papier, mouillait un doigt pour lisser la plume des anges, jusqu'au moment où il disait vouloir dormir, et le pasteur s'en allait, et bien des heures plus tard, on pouvait le surprendre contemplant ses dessins et appelant Sophie, comme il l'appelait quand il avait une surprise pour elle, comme je l'appelais quand je lui ramenais pour la millième fois, ce qu'elle ne pouvait s'empêcher, chaque fois, d'accueillir comme une surprise : chaque fois les yeux en vrille, chaque fois la petite main en vrille pour attraper les gâteaux d'arachide que je lui rapportais tous les vendredis à dix-huit heures en rentrant du collège. On pouvait surprendre mon père appeler Sophie dans son sommeil, les doigts accrochés aux ailes froissées de ses anges.

– C'est ce que je dirai au pasteur. Je lui dirai : j'ai épuisé toutes les prières. Et je n'en ferai pas une seule deux fois.

Il nous disait ça. Traçant des anges grands, forts et tristes sur des bouts de papier depuis la mort de ma sœur Sophie et je ne saurai pas dire ce que sont devenus les gâteaux d'arachide pourris. Je dis pourris depuis. Personne ne les avait mangés. Puisque ce jour-là :

Moi : « Sophie, les beaux gâteaux. »

Ma mère : *(silence).*

Mon père : « Sophie morte. »

Tout à coup ? À l'instant ?

Plus tard. Mois, années, etc., je ne saurai pas dire ce que sont devenus les gâteaux d'arachide. Alors pourris, ça convient.

Mon père *(assis. Traçant des anges grands, forts et tristes sur des bouts de papier depuis la mort de ma sœur Sophie)* : « C'est ce que je dirai au pasteur. Je lui dirai : j'ai épuisé toutes les prières. Il n'y en a pas une seule que je ferai deux fois. »

Sans sa voix, ni révolte, ni dépit, ni colère, seulement quelque chose qui aurait pu être la satisfaction de voir se vérifier une intuition qui ne l'avait peut-être jamais quitté et qui pourrait expliquer pourquoi cet homme avait passé sa vie entière à prier : il le savait donc, il le savait, lui, que le catalogue des prières n'existe au monde que pour permettre à l'homme de l'épuiser entièrement, seule condition pour éprouver les limites de sa solitude.

– C'est ce que je dirai au pasteur. Je lui dirai : j'ai épuisé toutes les prières. Il n'y en a pas une seule que je ferai deux fois.

Et c'est là que, moi aussi, j'ai commencé à dessiner dans ma tête toutes sortes de personnages, des hommes et des femmes qui ressemblaient à mon père crayonnant, à ma mère dans le rôle du prestidigitateur palpant le vide, à ma sœur Sophie que je pouvais continuer à faire grandir, des personnages qui avaient tous en commun d'avoir déjà épuisé toutes les prières, prêts à tout moment à empoigner, sans le secours d'aucune foi, cette douleur que je me fatiguerai à essayer de décrire dans une tentative de livre. Puis dans une autre. Puis dans une autre :

> Ma petite sœur n'ira pas à l'école. Je sais pourquoi cette pensée me revient. Il y a longtemps que ma petite sœur aurait dû aller à l'école. On avait préparé sa robe verte à froufrous et froufrous. Et elle avait des craies de couleurs et à la rentrée : Ma petite sœur n'ira pas à l'école : c'est une pensée. Ce n'est plus qu'une pensée à présent. Ça me revient chaque fois que j'éprouve le besoin de dire à propos de choses qui ne se sont pas faites : de quel secours ? de quel secours, les froufrous et froufrous de la robe verte ? Ça vient comme je pense : de quel secours le vouloir, le rire, les craies de couleurs. Et tout se réduit à ceci qu'on ne change pas de vie. On change d'espoir comme on passe la main. Comme on cède le pas. Chacune de nos persévérances est un acte miné d'espoir. Une pensée lasse : ma petite sœur n'ira pas. Quelque chose qui arrive comme le sang vient au corps, la parole à la mémoire.

Enfant, je n'inventais pas d'histoires.

L'ÉVANGILE DE BRISE DE MER

Patrick Erouart-Siad

Patrick Erouart-Siad

Né à Savigny-sur-Orge, d'une mère somalie et d'un père français.

Passe son enfance à Djibouti puis à Madagascar.

1973-1977 : études supérieures au Sénégal.

1979-1984 : collabore au journal *Libération*.

Publie son premier roman au Seuil en 1987 : *Cahiers de la mort colibri*.

Vit à Rome, à la villa Médicis de 1989 à 1991 et publie *Océanie*, au Seuil, en 1992.

Depuis quatre ans à New York, après un séjour en Virginie, il publie *Le Fleuve Powhatan*, chez Flammarion.

À paraître :

Éloge à Nicolas Bouvier, collectif (Éditions Zoé, Genève, 2001).

Le Fleuve Amour, roman (Nil, 2001).

En ce temps-là je m'appelle « Bonne Nouvelle », « Warsama » en langue somalie ; tout le monde m'interpelle ainsi, la myriade d'oncles et de tantes, de cousins, cousines appartenant à la fratrie tribale de Shamis, ma mère ; les voisins et les bonnes de Brise de Mer. Je suis « Warsama » autour des lavoirs communautaires aux robinets grinçants, dans la poussière des terrains de jeux, « Bonne Nouvelle » de « Brise de Mer ».

Je dialogue sans cesse en somali avec tous mes interlocuteurs. À l'exception près de Shamis, ma mère, avec laquelle je m'empresse de revenir au français, et à mon prénom de baptême : Patrick !

Nous sommes en 1961 à Djibouti, Côte française des Somalis, où je suis retourné après ma naissance en France. Nous habitons un quartier longeant la plage homonyme de Brise de Mer et le vénérable chemin de fer qui va du port colonial jusqu'aux légendaires hauts plateaux abyssins – terminus Addis Abeba – où rodent les mânes de Rimbaud et de Hailé Sélassié, le roi des rois.

Que de mythes pour un si petit bout d'enfance !

J'ai six ans. Dans le sable du bord de la plage, une femme des quartiers hurle, gémit, pleure, s'arrache les cheveux ; pleure de la tombée du jour aux premières heures du levant.

« Rends-le-moi, rends-le-moi... » crie-t-elle à l'immensité.

Je la distingue parfaitement du rebord de mon lit, au-delà du petit monticule de la voie ferrée, à la lisière des vagues qui mouillent son « dirih ». Une proche a vainement tenté de l'arracher à son désespoir. Puis s'est éloignée. Et la femme endeuillée dit sa peine à la mer qui lui a enlevé son fils au retour de l'école :

« Rends-le-moi, il était mon dernier soleil !... » implore-t-elle en somali. Au matin, une voisine est allée lui porter un thermos de thé parfumé à la cardamome. Nous l'avons retrouvé inentamé dans un creux de sable. À notre grand étonnement de gamins, la pleureuse n'a pas craint les « djinns » du bord de mer.

Je vais à l'école maternelle des sœurs franciscaines de Calais. Je m'y appelle bien évidemment « Patrick ». Shamis m'y conduit, en voiture, s'il vous plaît. Ma Djiboutienne de mère a décroché le premier permis de conduire du Territoire décerné à une femme somalie. Elle n'en est pas peu fière. Je me rengorge moi-même quand je sors de la 2 CV grisbleu, parmi les vendeuses de bonbons et de nougatines, accroupies au pied des acacias, qui jettent un regard soupçonneux à cette conductrice issue de leur sang, de leur sol désertique, mais apparemment d'un autre temps ; le temps des Blancs, le temps des « Gal »...

Shamis lance un salut jovial à Marie-Ange, comme elle chrétienne de Djibouti, minorité parmi les minorités, puis passe fièrement son chemin au volant de sa 2 CV, jusqu'au port où elle travaille.

Chez Marie-Ange, et chez les franciscaines, je fais connaissance du Christ et d'un certain monsieur, très obsédant, « Pirouette Cacahuète »,... « dont la maison est en carton, les escaliers sont en papier »... Je n'arrête pas de fredonner son refrain dès que je retrouve Collante, la chienne paria qui vit sous nos planchers. Je pense que les deux personnages devraient partager le même surnom. « Pirouette Cacahuète » me colle aux méninges, encore aujourd'hui, comme un chewing-gum mental, au goût plus insipide passée l'excitation sucrée des premières notes ! Invariablement, la chienne fronce ses paupières de fourrure sombre, tracées en virgules au-dessus de son regard caramel, dès qu'elle m'entend entamer la visqueuse ritournelle.

À la vérité, M. Pirouette Cacahuète me remplit d'anxiété car il est le favori de Marie-Ange qui ne cesse de le convoquer après m'avoir asséné une terrible vérité dont elle méconnaît l'amertume, me la dispensant comme une consolation : « Tu n'as pas de papa, mon pauvre petit !... ». Marie-Ange pense vraiment que je suis un orphelin comme elle le fut elle-même, lorsqu'elle fit connaissance de Shamis, à l'orphelinat des franciscaines de Calais. Dans la cour lourdement ombragée de lauriers yéménites, sur les racines desquels les plus imprudents trébuchent, lors des parties de colin-maillard... « Mon petit, tu n'as pas de papa, c'est ainsi... » me susurre Marie-Ange, pleine de compassion chrétienne, tandis que nous attendons la bonne Sirad ou la petite 2 CV des sorties d'école.

Et de fait, en cette année 61, si féconde en découvertes, les jours, les nuits de Brise de Mer ne m'ont pas encore inventé de père. Oui, un de ces messieurs au regard bleu préoccupé, tout habillé de kaki, ou du bleu marine de la gendarmerie.

Dans mon esprit de six ans, les mâles aux yeux noirs, à fronts bombés et peau de nuit, pour lesquels je me prénomme « Warsama », ne peuvent être que des oncles, des cousins tribaux... pas des papas...

Marie-Ange continue de m'empoisonner à petites doses concentrées du poison de sa contrevérité – « Tu n'as pas de père, mon petit » – en poussant le refrain de M. Cacahuète, lorsqu'elle sent que mon regard se dilue dans une sombre mélancolie enfantine. Je hais ce Pirouette Cacahuète dont je ne sais plus comment me débarrasser.

Le boulevard de-Gaulle est très passant. Les terrasses des restaurants voisins inondent les trottoirs de Boulaos, gaiement éclairés pour les équipages internationaux de la marine des sept mers, pour les légionnaires en goguette dont les frasques nocturnes complètent le feuilleton des maisons en planches.

Une nuit, un légionnaire salement poignardé vient s'écrouler tout près de notre assemblée. Je me lève brusquement dans mon transat. Ce soir-là, par chance, « des hommes de chez nous », comme le dit ma mère, se sont arrêtés à notre hauteur. Ils montent le blessé dans un camion de sable dont ils arrêtent le conducteur italien, pour se rendre à l'hôpital. L'oncle Hassan, peu de temps avant, évoquait d'un air terrible une certaine « nuit bleue » de l'OAS en se tournant vers sa mère. Les mots inconnus « Putsch », « Colonisation », « Algérie », dans sa bouche, m'effrayent autant que la flaque de sang du légionnaire, répandue sur le sable. L'oncle Hassan semble très concerné. Ma grand-mère écoute gravement. Mon *ayeyo* était boulangère, même pendant le blocus de Djibouti, jusqu'à la disparition totale de la farine. Les forces anglaises basées à Aden assiégeaient la France vichyste de la colonie djiboutienne. Ayeyo a nourri de pain perdu le petit peuple des quartiers pris en otage par Vichy. Lorsqu'elle mourra deux jours avant l'indépendance de la République de Djibouti en 1977, toutes ces petites gens auxquelles elle avait prodigué des vivres viendront en longs cortèges lui rendre un dernier hommage. Pour l'heure sur le boulevard de-Gaulle, où quelques braillards de l'infanterie de marine déambulent en tenue, Ayeyo me raconte l'histoire traditionnelle de Chinine et Minine, les deux lions magnifiques à crinière noire, jaillis d'un ossuaire, à la rescousse d'une princesse orpheline. Je vais finir par les appeler pour qu'ils viennent dévorer Marie-Ange et son M. Cacahuète qui m'empoisonnent le bonheur.

Mon frère cadet, Claude, passe toute cette année 61 dans les verts pâturages de la MÉTROPOLE ; voilà un autre mot qui se dresse menaçant au-dessus de ma ville bon enfant. Mon Djibouti du bord de la mer Rouge où, sereinement, je bâtis mes constructions symboliques. Un jour ma mère utilise ce mot dans une phrase étonnante : « ... ton frère et ton père vont revenir de MÉTROPOLE à Noël », me dit-elle tranquillement. Je saute de joie intérieurement. Tout le mystère souverain de la phrase explose en moi. J'imagine mon frère qui avait pris la drôle d'habitude de dormir avec des lunettes de soleil, de peur de voir les musaraignes qui se cognent contre l'armoire à glace. Moi je n'ai même pas peur du fou Abdi qui, parfois, lentement, cérémonieusement, enjambe l'enclos de notre jardinet, derrière, pour se jucher à la hauteur de notre appui de fenêtre et regarder longuement de ses yeux rêveurs le spectacle d'une intimité.

Nous le connaissons tous, Abdi. Ma mère, femme seule, dans la maisonnée près de la mer et du chemin de fer ne s'en formalise pas.

À cette époque, à Djibouti, les fous se promènent en liberté. Ayeyo nous met en garde contre Sarah qui jette des cailloux à tous les gosses qu'elle croise par mégarde sur sa route, depuis qu'un mari perdu a emporté ses trois enfants. Nous n'arrivons pas même à lui en vouloir. Nous la rangeons aux côtés de la figure légendaire du singe Joseph qui, lui également, lapide les passants de la montagne de l'Arta, toujours très en colère de ne pas avoir réussi le test de l'humanité que lui font régulièrement passer les autorités de la brousse. Joseph reste enfoncé dans sa peau de cynocéphale à cul rouge. Un autre a réussi le concours d'humanité. Il s'appelle Djembel. Il est fou également et en profite pour s'habiller d'espace et se vanter de tous les avantages propres à son espèce. Il vaque nu dans Djibouti. À son approche les femmes voilées yéménites s'enfuient comme des fantômes de carnaval, dans des tourbillons de poussière dorée, qui viennent tout doucement se sédimenter sur les branches basses des lauriers yéménites, où nichent de bruyantes corneilles yéménites. Djibouti est une création des maçons yéménites. Ils l'ont taillée dans le madrépore, et y ont importé leurs magies, leurs corneilles, leurs voiles féminins de mousseline noire... En fait Djibouti est une tour de Babel.

Un jour de sortie des classes, Djembel s'approche en majesté des grilles des franciscaines de Calais. Le brouhaha et la cohue empêchent les divers sentinelles et factotums de voir s'approcher le fou aux parties privées exposées. Il est devant la sœur Marie-Joséphine et Marie-Ange qui me tient par la main avant que le moindre indice d'alerte n'ait pu les mettre sur leurs gardes. Tout le monde s'enfuit, la main sur la bouche, en maugréant « *Subham Allah* »... Marie-Ange reste interdite. Je profite de son moment d'effroi pour lui chanter en bondissant à pieds joints : « Pirouette Cacahuète... », pas honteux une seconde de mon péché de revanche. Grâce à mon fou nudiste, je suis débarrassé une bonne fois pour toutes de M. Cacahuète. Première victoire.

Dans la cour de l'école, les gamins ont commencé à me traiter comme un orphelin de père. La compassion chrétienne n'est pas la vertu cardinale de ma cour de récréation. « Il n'a pas de papa » devient un cri de ralliement autour de moi. Au moindre litige sous les lauriers yéménites. Je sais maintenant que ça n'a pas de raison d'être, mais comment leur faire entendre raison dans leur méchanceté obsédante. Je finis par m'en ouvrir à ma mère qui va voir sa collègue d'orphelinat, Marie-Ange, pour lui exposer le malentendu. Marie-Ange, nullement déconfite, hausse juste les épaules et convient qu'elle s'est trompée, ajoutant avec nonchalance : « Mais à en juger sur les apparences, tu étais revenue de MÉTROPOLE avec deux enfants sans père et je ne pouvais pas deviner que ton mari était en ALGÉRIE... »

Le litige doit se régler boulevard de-Gaulle. Ayeyo la fait convoquer avec une tante. Une navette de sodas frais fait le va-et-vient entre les transats et le kiosque Lucky Strike. Les délibérés sont vite expédiés par les femmes.

Dans ce théâtre antique, boulevard de-Gaulle/Brise de Mer, les hommes ne tiennent que les seconds rôles. Ma mère a perdu son père à l'âge de quatre ans. C'est pour cette raison qu'elle a goûté quelque temps à l'orphelinat de Marie-Ange. Elle explique toujours comment son frère William l'avait aidée à passer le cap des tristesses, la porte des lamentations, toute cette période où Ayeyo avait amené son mari agonisant, puis enterré le défunt, chrétien, à Hargeisa, dans le Somaliland dont il était originaire. William, plus âgé, avait échappé à l'orphelinat où ma mère avait été temporairement mise en pension. Il venait chaque jour apporter à sa sœur le lait de leur chèvre Oubah, « fleur » en somali, en l'embrassant d'un chaste baiser sur la bouche, au-dessus des grilles. Les sœurs avaient découvert leur réunion quotidienne et, sur-le-champ, interdit ces tendresses inappropriées. Pour ce type de brimades, et d'autres plus pernicieuses, Shamis, à l'indépendance de Djibouti, se reconvertira à la religion musulmane.

Sous les pilotis de Brise de Mer, une nouvelle portée de la chienne Collante est arrivée à maturité, disséminant autant de chiens parias dans les décharges du voisinage. Un mois plus tard Collante sera elle-même emportée par une des inondations qui saccagent régulièrement les quartiers de Djibouti, construite sous le niveau de la mer.

Pendant que les tragiques événements d'Algérie se répercutent en métropole (octobre 1961), Djibouti est secouée par un léger séisme, heureusement désynchronisé par rapport aux inondations. Début décembre, après le reflux des eaux boueuses, les transats réapparaissent sur le boulevard de-Gaulle. Chez les expatriés, l'excitation de Noël revient : neigera-t-il en métropole ? Nous allons à l'aviation le dimanche dans la 2 CV de ma mère, pour le simple plaisir d'examiner les nouveaux arrivants. Je bois de la grenadine en regardant débarquer des Constellations les équipages d'hôtesses de l'air aux joues roses.

Au port, les grands paquebots font encore la traversée par Port Saïd et le canal de Suez, salués par un sillage de dauphins gris. De la mer Rouge ne m'est toujours pas parvenue la bonne nouvelle ; malgré la mise au point je n'ai toujours pas de père. Peut-être son collègue, le Père Noël, me le ramènera-t-il parmi ses cadeaux ? Il doit venir de ce fabuleux pays d'Algérie où, je viens de l'apprendre, il fait la guerre sans arme. Il est technicien radio dans l'armée de l'air. Les camarades de la cour de récréation ne veulent pas le croire. De la même manière, lorsque j'explique qu'il a été envoyé dans le désert autour de Reggane où a explosé la première bombe atomique française, ils partent en riant, haussant les épaules sans plus m'écouter... La bombe atomique !...

Un après-midi je me réveille d'une sieste à Brise de Mer, au centre d'une assemblée de jeunes femmes somalies, installées sur des nattes, toutes occupées à se natter réciproquement en vue du réveillon. Des brûle-parfums monte la fumée des encens domestiques. La mer bourdonne comme si de rien n'était. En ville des lampions décorent les restaurants de légionnaires. Côté plateau, Djibouti ressemble à une caserne en fête. Côté quartiers, les troupeaux de chèvres, encore en liberté dans la ville, trottinent à la recherche du moindre bout de carton, de tiges de khat effeuillées.

Ce même soir, je m'endors pour être réveillé par les chuchotements d'une famille encore élargie. Mon frère s'est assoupi derrière ses lunettes de soleil. Mon père me réveille tout à fait : « Patrick, papa est là. » Il m'apporte la bonne nouvelle de sa présence. Il a des yeux d'un bleu reposant. Sa bonne parole d'athée me remplit d'allégresse.

Pour moi, Warsama, il est le secret de la mer Rouge, l'évangile païen de Brise de Mer, mon père blanc !

Les galants de Lydie

Marie-Thérèse Humbert

Marie-Thérèse Humbert

Née à l'île Maurice, d'un père d'origine britannique et d'une mère d'origine française. Elle quitte l'île Maurice à dix-huit ans, pour poursuivre des études supérieures à Cambridge puis à la Sorbonne. Elle vit en France.

Elle a publié de nombreux romans, dont :

À l'autre bout de moi (Stock, 1979, Grand Prix des lectrices de *Elle*).

Un fils d'orage (Stock, 1992, Prix Terre de France).

Le Chant du seringa la nuit (Stock, 1997).

Son dernier roman :

Comme un vol d'ombres (Stock, 2000).

Ce que je vis d'abord, moi, ce furent des pieds. Des pieds superbes. Carrés, trapus, solides. Des pieds qui avouaient sans honte à la face de l'univers leur vocation de pieds. L'univers auquel ils s'offraient n'était malheureusement constitué, ce matin-là, que de ma mère, mes deux sœurs cadettes, et moi à demi agonisante (du moins le croyais-je), toutes quatre occupées à prendre notre petit déjeuner dans la salle à manger. J'avais alors sept ans et des poussières, et mon état d'agonisante persistait depuis des semaines, si bien que je m'étonnais chaque jour d'avoir encore assez d'appétit, en dépit du chagrin qui me rongeait, pour m'attaquer aux toasts et à la marmelade. Nous venions en effet de quitter ma maison natale, à Quatre-Bornes, pour emménager dans cette autre maison où nous déjeunions, à Port-Louis, et j'en avais le cœur brisé. Ma détresse était si profonde, si totale, que j'étais absolument certaine de ne pouvoir y survivre.

Pourtant ces pieds soudains, à quelques pas de moi, d'un beau brun cuivré que rehaussait le vernis rouge des orteils, ces pieds si assurés de leur bon droit à être là, dans l'encadrement de la porte ouverte sur la varangue, me communiquèrent d'emblée une telle impression de force que je m'en sentis réconfortée. Pour tout avouer, avant même de connaître Lydie, la seule vue de ses pieds, agréablement conjuguée à la saveur de la marmelade d'orange que je venais de porter à ma bouche d'agonisante, m'avait conquise.

Tandis que, fascinée, je continuais à les examiner, la voix de celle qu'ils portaient s'éleva dans le silence.

– Madame, disait-elle en créole, j'ai appris que vous cherchiez une bonne et me voilà. Je ferai l'affaire.

Ainsi. Sans même s'enquérir des conditions de salaire ni du service requis. Elle ferait l'affaire.

Ma mère, en se levant, fit tomber sa chaise, et je décrochai enfin mon regard des pieds pour inspecter le reste de la personne – qui confirmait pleinement, je dois dire, la promesse des pieds. Une belle fille bien charpentée. Un visage large et ouvert couronné d'une abondante chevelure frisée. De grands yeux noisette. Le nez, plutôt mutin, s'ornait de taches de rousseur du plus bel effet. La robe était à grosses fleurs rouges et la jeune personne qui la portait tenait d'une main un gros sac, visiblement bourré de ses effets, et de l'autre ses sandales, qu'elle avait sans doute ôtées pour pénétrer dans la maison, soit par déférence, soit pour éviter de salir. Si nous ne l'avions pas entendue venir, c'était à cause de ses pieds nus.

Et elle se tenait gravement là, dans l'encadrement de la porte. Tranquille, confiante. Ma mère, plus tard, dirait souvent d'elle : « Cette fille-là, c'était une forteresse. Si nous avons survécu à l'époque où René allait si mal, c'est beaucoup grâce à elle. »

René, c'était mon père. Un infarctus l'avait terrassé en pleine force, et durant près d'un an il était resté entre vie et trépas, incapable du moindre effort. Si nous avions quitté notre maison de Quatre-Bornes pour celle de Port-Louis, c'était à cause de lui. Les médecins s'étaient montrés catégoriques : s'il descendait chaque jour de Quatre-Bornes à Port-Louis pour son travail, pour remonter sur le plateau à la fin de la journée, son cœur ne supporterait pas les changements d'altitude. Nous avions donc déménagé. Un véritable cataclysme dans ma vie. Je détestais Port-Louis et ma nouvelle maison. Sans cesse je repensais aux grands champs de canne à sucre qui entouraient la maison de Quatre-Bornes, à mon trou dans la haie de bambous, où je me tapissais dans la journée, pour écouter le murmure de la brise. À Port-Louis le climat était chaud, aride. Surtout, ce n'était plus la campagne, mais la ville, son odeur de pierre et de goudron, son perpétuel remuement, qui me terrorisait. Notre nouveau jardin était cerné de murs épais, clos d'un haut portail de fer forgé qu'il m'était interdit d'ouvrir. La sauvageonne que j'étais, habituée à folâtrer librement dans les chemins herbus à travers champs, s'y sentait prisonnière, tout lui semblait étranger, hostile.

Oui, je haïssais Port-Louis, j'étais sûre que, si je restais là un jour de plus, je mourrais de chagrin.

Et Lydie apparut. Lydie qui me donnerait Port-Louis et ses merveilles, son Grand Bazar et ses mosquées, son quartier chinois, la joyeuse animation de ses rues dans la tiédeur du soir, à l'heure où embaument les lauriers-roses...

Elle n'était pourtant pas de la capitale, la belle enfant. Une émigrée, une réfugiée. Elle l'expliqua à ma mère le matin même, non sans fierté. Elle était de Mahébourg, tout au sud de l'île. Orpheline à l'âge de trois ans, elle avait été élevée par tonton Pierre – lequel tonton, qui conservait quand même toute son estime, l'avait tant poursuivie de ses assiduités qu'elle s'était résolue, le jour de ses dix-huit ans, à prendre le large – « autant pour son bien à lui, précisa-t-elle, que pour le mien ». Ce qu'ayant arrêté, elle avait pris ses cliques et ses claques en dépit des supplications dudit tonton, pour se rendre chez une cousine de Port-Louis qui lui avait offert de l'héberger.

Mais ce n'était que provisoire et il fallait bien qu'elle s'en sorte. D'où son arrivée chez nous qui pouvions, d'après la cousine, lui procurer une chambre et un emploi.

Ainsi commença pour nous le règne de Lydie, qui allait durer trois ans. La passation des pouvoirs entre

elle et ma mère se fit le matin même. Lydie déposa
ses effets dans la chambre qui lui était attribuée près
de celle du bébé (ma troisième sœur, qui passait alors
honteusement sa vie à dormir), puis revint dans la
salle à manger où mes autres sœurs et moi étions
encore attablées.

– Vous pouvez me laisser faire, Madame, assura-
t-elle. Je desservirai et m'occuperai des enfants.

Ma mère voulut lui donner des instructions,
qu'elle balaya d'un grand geste de la main. Allons,
que Madame se tranquillise et retourne au chevet de
Missié malade, elle se débrouillerait bien.

Elle se débrouilla comme un chef. Inventoria rapidement les ressources de l'office et de la cuisine.
Inspecta la maison de fond en comble, placards,
armoires et buffets compris. M'expédia d'autorité à
la salle de bains en m'ordonnant de me presser : ne
lui fallait-il pas débarbouiller mes sœurs, puis nettoyer la maison, puis préparer le déjeuner ? « Et ne
faites pas cette tête-là, Mam'selle. *Faire plitôt ène
sourire, ça pli zoli.* »

Je lui dédiai un sourire tremblant et déjà empli
d'espoir. Mon premier sourire à Port-Louis. Et il me
sembla soudain que, peut-être, puisque je pouvais
encore sourire, je pourrais aussi, oui, essayer de
vivre...

Ainsi fut-ce de Lydie que j'appris l'étonnante
vertu du sourire dans l'adversité. Mais comme elle
jugeait sans doute utile, pour compléter mon éduca-

tion, d'en étendre le champ aux matières concrètes, elle résolut de battre le fer tant qu'il était chaud et m'apprit également, dès le lendemain, ce que c'était qu'un « galant » (entendez par là un soupirant), et comment toute fille sensée, avec des galants, devait savoir « manœuvrer ». Sur quoi elle me confia qu'elle avait déjà, elle, deux galants attitrés à Port-Louis, qu'elle me présenterait bientôt.

Aussi, lorsqu'elle estima avoir suffisamment démontré à ma mère ses qualités de sérieux (c'était, me semble-t-il, une quinzaine de jours après), Lydie déclara-t-elle avec force qu'il était inutile que Madame continuât à se déranger pour me conduire à l'école en voiture : elle m'y mènerait volontiers elle-même et prendrait avec elle mes deux sœurs cadettes, qui auraient ainsi l'occasion d'une sortie ; le collège n'était pas si loin, après tout...

Dès lors, nous empruntâmes chaque matin avec Lydie les rues tumultueuses de Port-Louis jusqu'au collège et l'après-midi, flanquée de mes sœurs, toujours impeccablement vêtues et coiffées, elle venait me chercher. Avec elle, qui expliquait tout, ma peur de la ville s'envola, et je commençai à m'y intéresser. Citadine dans l'âme, Lydie circulait en ville avec une souveraine aisance. Déjà elle connaissait le Grand Bazar où elle s'approvisionnait pour nous en fruits et légumes, dans les odeurs mêlées d'épices et les clameurs des marchands.

Ce Grand Bazar me fascinait. C'était dans une de ses allées, jamais la même, que Lydie fixait rendez-vous, chaque après-midi, à un de ses galants. Un secret entre elle et nous : Madame, qui avait assez de soucis avec Missié malade et le bébé, n'en devait rien savoir.

– Mes galants, après tout, ça me regarde. Le mariage est chose sérieuse, et il faut bien causer un peu avant de s'engager. Vous êtes assez grande pour comprendre ça, Mam'selle.

J'étais ravie. Les deux galants de Lydie me plaisaient. Celui que nous voyions le plus souvent, c'était Jacques Lafleur, un apprenti pâtissier qui avait toujours le cœur à rire et nous apportait des gâteaux en échange de notre silence. Souvent, tandis qu'il nous escortait, il tentait de prendre Lydie par la taille. Elle s'en écartait d'un air outré : « Je suis une fille honnête, moi, Jacques Lafleur, criait-elle, on n'agit pas ainsi avec une fille honnête ! » Le galant balbutiait des excuses et, durant quelques jours, se le tenait pour dit. Mais c'était plus fort que lui : dès qu'il croyait que nous regardions ailleurs, il s'enhardissait de nouveau. Et de nouveau Lydie, le menton pointé en avant, le morigénait.

L'autre galant était plus épisodique. Matelot sur le *Sir Jules*, bâtiment qui ne s'aventurait guère au-delà des îles voisines, il ne pouvait rencontrer sa dulcinée qu'au cours de ses escales au pays. Lydie, qui s'arrangeait toujours pour connaître la date de retour du *Sir Jules*, me recommandait de la lui rappeler au besoin : il serait fâcheux, en effet, que Lolo Bourdon la trouve en compagnie de son rival, il pourrait s'en offusquer et ne plus reparaître. Or, Lydie, pour avoir des éléments de comparaison, tenait à fréquenter au moins deux galants : « *Avant marié, Mam'selle, bisoin fréquenter.* »

J'étais bien de son avis. Car, si Lolo n'avait pas de gâteaux à nous donner, il n'omettait jamais de héler un des marchands de glaces qui parcouraient la ville sur leurs tricycles, et nous offrait généreusement des cornets doubles. Je préférais de loin les glaces aux gâteaux, d'abord parce que j'y goûtais plus rarement, ensuite parce que ma mère se récriait toujours à l'idée que nous puissions en acheter dans la rue. « Ces glaces sont fabriquées dans des conditions d'hygiène déplorables, vous attraperiez la dysenterie. » Mourir de dysenterie pour aider Lydie à choisir un mari me semblait alors un destin des plus héroïques. Lolo Bourdon s'en auréola à mes yeux d'un prestige égal à celui que lui octroyaient ses récits de voyage dans les îles, les poissons volants, les tortues géantes, les requins et les tempêtes... Il fut sans conteste mon premier amour – d'autant que le gredin, pour achever de me corrompre, ne cessait de s'extasier sur mon joli minois. Tandis que je me tortillais, Lydie me jetait un regard attendri, puis se reprenait :

– *Lolo ène sarmère*, disait-elle. *Pas écoute-li, Mam'selle.*

Et lorsque ledit charmeur avait pris congé de nous, elle complétait sa mise en garde de conseils sur la conduite que je devrais tenir plus tard, quand j'aurais comme elle l'âge de choisir entre des galants.

– *Compliments faciles*, déclarait-elle sentencieusement. Mais l'essentiel, c'est de bien observer les manières de ces messieurs pour choisir en connaissance de cause.

Un conseil des plus judicieux, certes. Mais Lydie elle-même, en dépit de sa clairvoyance, ne semblait guère arriver à départager Jacques et Lolo. Aux « promenades-de-retours-d'école » s'étaient pourtant ajoutées, dès la deuxième année, les « promenades-d'après-dîner », Lydie ayant exposé à ma mère qu'elles nous disposaient au sommeil. Ainsi, presque chaque soir nous allions avec elle et son soupirant du jour jusqu'au jardin de la Compagnie, où nous restions assis ensemble sur un banc, à la lumière douce des lampadaires. Peine perdue. Lydie, toujours, ne parvenait pas à arrêter son choix...

Qu'on juge donc de ma stupéfaction le jour où elle nous déclara, le plus naturellement du monde... qu'elle allait bientôt se marier ! C'était un après-midi d'avril. Ma mère venait de lui annoncer que, mon père paraissant rétabli, nous quitterions la capitale pour nous réinstaller sur le plateau au mois de septembre.

– Il vous faudra chercher une nouvelle place, Lydie. J'en suis désolée, mais il n'y a pas assez de chambres dans la maison où nous irons. Si vous voulez, je vous recommanderai à Mme Pougnet qui cherche quelqu'un.

– Ne prenez pas cette peine, Madame, rétorqua dignement Lydie. Je me marie en octobre et j'aurai bien assez à faire chez moi pour travailler au-dehors.

– Comment, Lydie ? s'écria ma mère. Mais qui donc épousez-vous ?

– Ça, Madame, dit Lydie, vous le verrez demain, quand je vous présenterai mon futur.

Puis elle pivota sur ses talons et retourna dans la cuisine.

Une heure plus tard, peu avant le dîner, elle me priait de la suivre dans sa chambre, et là, devant l'image du Sacré-Cœur, accrochée en face de son lit, me tendait deux brins de paille de longueur inégale, m'ordonnant de les serrer dans mon poing fermé en laissant dépasser des bouts égaux. Elle se détourna pendant que je m'exécutais, puis me demanda de lui présenter mon poing, fit un signe de croix, et tira un des brins. Il s'agissait du plus long.

– C'est Lolo le plus grand des deux, dit-elle sobrement. Ce sera donc lui que je présenterai à Madame demain. J'aime mieux ça. Un marin, on ne l'a pas toujours sur le dos à vouloir vous commander.

Lolo fut donc l'élu, et n'eut certes pas lieu de s'en plaindre. Lydie gouverna son ménage et ses quatre enfants en maîtresse femme. Des années plus tard, lorsque je lui rendis visite à Cassis, dans une maisonnette qui respirait le propre, je la vis épanouie à souhait. Quant à Lolo, qui naviguait quelque part entre Rodrigues et les Comores, elle m'assura que c'était le meilleur des époux.

– Comment vous dire, Mam'selle ? Quand il rentre, il n'a qu'à se taire puisque tout est en ordre. Manquerait plus qu'il se plaigne, ce feignant !

Qu'est-ce qu'il fait dans la vie sinon se balader ? De toute façon, quand les femmes dirigent, tout le monde se porte mieux.

Elle appela, pour me la présenter, l'aînée de ses filles, et je vis apparaître, dans l'encadrement de la porte, sous le rideau de perles, une paire de pieds nus de la plus belle espèce. Des pieds carrés, trapus, solides. Des pieds qui proclamaient hautement, avant même qu'on vît le reste, que Lydie n'avait pas à s'en faire : la succession, d'évidence, était assurée.

LA FOLIE ÉTAIT VENUE AVEC LA PLUIE

Yannick Lahens

Yannick Lahens

Née en Haïti.

Après des études de lettres à Paris, elle enseigne la littérature haïtienne et la littérature comparée en Haïti.

Elle a travaillé aux Éditions Deschamps comme directrice littéraire.

Romancière et essayiste, elle a publié :

Tante Résia et les Dieux (L'Harmattan, 1994).

La Petite Corruption (Mémoire à Port-au-Prince ; Le Serpent à plumes, 2001).

Entre l'ancrage et la fuite, essai (Mémoire).

Dans la maison du père (Le Serpent à plumes, 2000).

Août touchait à sa fin. Mon enfance aussi mais je ne le savais pas encore. Dès le commencement de l'après-midi, les nuages, comme un cortège d'anges maléfiques, avaient obscurci le ciel, aiguisant les colères, réveillant les soifs, les faims et la méchanceté des hommes. Et depuis que le corps de Mervilus avait été trouvé hier dans une ravine non loin du quartier des Dalles, la folie comme la mort, comme l'enfance arrachée, était venue avec la pluie. Très vite les rues furent inondées par ces averses qui s'abattent toujours en cette saison et nous retournent l'âme comme une terre à labourer sans merci.

Quatre hommes avaient porté sur leurs épaules, en direction de la maison de Désilia, le cadavre de Mervilus recouvert d'un drap blanc. Ils avançaient péniblement comme un tap-tap* qui se serait enlisé ou un navire qui tanguerait sous les assauts du vent. Leurs jambes s'enfonçaient dans la boue et ils hurlaient leur colère, la pluie frappait leur torse nu de ses lanières acérées et ils rugissaient encore plus fort. Tenant Jonas, mon jeune frère, par la main et courant à en

131

perdre le souffle, je rattrapai ma mère autour de cet équipage fougueux, mêlant ma voix aux gémissements des femmes, à la stridence de leurs cris, aux hurlements des hommes. La nouvelle était arrivée jusqu'à Désilia qui rejoignit le cortège à mi-chemin. Quand l'un des hommes souleva le drap, Désilia poussa le long cri plaintif d'un animal qu'on égorge. Les yeux révulsés, agitant les bras de droite à gauche, elle déchira ses vêtements et courut dans tous les sens, faisant gicler sur son passage l'eau des mares entre les cases. Très vite Boss Charles et Rameau la rattrapèrent de leurs bras robustes. Épuisée, Désilia se laissa encercler et nouer comme une bête en captivité. Aidée d'Espérance et de Nerlande, ma mère entoura ensuite la taille de Désilia d'un grand mouchoir. Question d'aider la douleur, là dans ses flancs, à faire son temps et son nid comme on porte un enfant.

On installa le corps dans l'une des deux pièces de la case puis, comme le veut la coutume, on recouvrit l'unique miroir d'une pâte d'amidon pour enlever à Mervilus toute envie de surgir sur cette surface lisse et de venir troubler le repos et le sommeil des vivants. Espérance s'occupa de la toilette du mort et ma mère entama les préparatifs du bouillon pour la veillée. Zuléma offrit les abats, Nerlande le malanga** et les carottes, Conceptia le cresson et les bananes plantain.

La pluie s'apaisa dès les premières ombres. J'aidai ma mère à préparer le repas. À servir le café à ces hommes rustres, ces hommes de désir et de privation qui posaient sur moi leur regard de fièvre comme s'ils cherchaient des pistes de feu. Jonas ne tenait plus en place, la journée avait été longue. Il jouait encore pieds nus dans les flaques d'eau à l'entrée de la maison de Désilia. Et bientôt, me tirant par le bras, il réclama vivement ces images brillantes et dures que, dans la lumière déclinante du jour, je prends plaisir à convoquer pour lui. Rien que pour lui. Et qui, à force, étaient devenues comme sacrées. Celles des algues phosphorescentes, des cohortes d'anges et de lutins, des sentiers aux senteurs de goyaves, de blessures tracées dans l'os par la pointe d'un coutelas, d'ogres se rassasiant de chairs d'enfants et de crépuscules mauves.

Après le repas, les hommes se partagèrent trois bouteilles de rhum, et d'autres alcools, du trempé d'anis et de cerise et jouèrent aux dominos toute la nuit. Trouant la mélopée dont les femmes, lèvres serrées, âme cousue, enveloppaient la nuit, les hommes évoquèrent à tour de rôle les souvenirs du défunt. Mervilus était parti marauder dans les quartiers du haut de la ville et il n'avait pas eu de chance. Baptiste parla plus que tous les autres. Baptiste a toujours admiré Mervilus, bien plus jeune que lui, qui possédait une arme et arrivait à faire vivre Désilia et son fils Kesnel mieux que toutes les femmes et tous les enfants du quartier. Sans compter Mimose qui travaille chez un couple de médecins dans une villa cachée derrière de hauts murs, enfouie dans d'épaisses bougainvillées à Péguy ville. Baptiste n'avait jamais osé l'accompagner dans ses tournées. Mais Mervilus savait comment les faire rêver, lui et les autres.

Mervilus militait au parti des Démunis. Des militants du parti étaient venus un après-midi jusqu'à notre quartier dans un grand tumulte de voix. Elles étaient aussi fortes que celles qui éclataient au carnaval ou dans les sermons des adventistes du septième jour. Ce jour-là, ma mère et moi revenions à peine du marché. Je la vis poser son panier sur le seuil de la maison et rejoindre, au bout de la rue, le groupe des hommes et des femmes qui discutaient avec animation comme si leur vie en dépendait. Agglutinés contre les deux camionnettes des hommes du parti des Démunis, nous buvions les paroles des orateurs qui nous décrivirent un bonheur d'une rare extravagance, celui que les riches ne nous avaient jamais laissé entrevoir. Les mots puissants, magiques firent fondre en un instant notre épaisse carapace de doutes et de méfiance. Et bientôt l'agitation gagna aussi les enfants. Au son d'une musique nasillarde et frénétique, improvisée pour la circonstance, Jonas et moi nous nous déhanchâmes avec les autres bien au-delà du départ des militants. La vie ce jour-là avait un goût d'eau fraîche et d'étoiles.

C'était il y a deux ans déjà. Depuis, à en croire Boss Charles, le parti des Démunis était devenu cinq fois plus riche que l'ensemble des partis des riches. Et puis il y avait la mort de Mervilus qui était venue tout changer.

Au milieu de la veillée, je rejoignis Jonas, endormi tête baissée, la joue contre celle de Cocotte, la fille de Zuléma, les bras autour du cou de Bonel, le fils de Rameau. Tournant le dos au tumulte des adultes, à ces feux trop vifs de la nuit, je les rattrapai dans la liberté de leurs rêves, là où avaient déjà pris place de fraîches hirondelles et des poissons volants. Quand je me réveillai il me sembla avoir été longtemps absente. Les mots avaient pris une couleur malicieuse et folle. La vigueur des gestes, l'avidité des soifs et la force des rires, tout était décuplé. Les visages semblaient englués dans les ténèbres d'un monde perdu. La lumière des lampes à pétrole et des bougies semblait sortir du sol de terre battue et effleurait les joues, les lèvres et les sourcils, laissant de grandes taches d'ombre sur les visages comme s'ils avaient été à moitié rongés par des rats. Je remarquai comme jamais auparavant les années de méfiance et de misère qui s'étaient incrustées dans ces visages. Et qui faisaient que nous scrutions le monde avec une curiosité aiguë. Et qui faisaient que nous le dévisagions aussi quelquefois avec une méchanceté égale à notre faim.

Ce matin, Baptiste, encore imbibé d'alcool, sentant la sueur et la nuit moite, est parti très tôt rejoindre le groupe des hommes à l'entrée de la boutique de Boss Charles. Et ma mère comme toutes les autres femmes attend. Elle aussi a à peine dormi. À cause de la veillée, à cause de la mort et de la colère. Quand, au réveil, je suis allée puiser l'eau à la fontaine, elle m'a demandé une nouvelle fois de faire attention. À mon retour, elle était debout sur le seuil de la maison, échangeant quelques mots avec Espérance et Nerlande. Elle en a profité ensuite pour s'étendre sur le grand lit dans l'unique pièce de la case. La case en dur n'est pas très grande. Baptiste l'a construite il y a deux ans à l'époque où il travaillait sur un chantier. Elle a l'air trapue et se confond avec la forêt de toits de tôle, de portes mal rabotées et de murs borgnes. Ma mère se fatigue plus vite depuis quelque temps. Elle est enceinte et a de plus en plus de mal à porter seule les paniers au marché. Heureusement, depuis trois mois, je l'accompagne mais ce n'est pas seulement pour l'aider que je le fais. Depuis qu'elle a surpris le regard d'Obner posé sur moi un jour que je revenais de la fontaine, elle a décidé de confier Jonas à Espérance et de m'emmener avec elle. Elle insiste souvent, me demandant de ne jamais m'arrêter en chemin, et surtout de rester sourde et muette à tous ceux qui me diront que je suis forte et belle pour mon âge. Je lui ai présenté un visage d'innocente, lisse et net. Mais je sais que Baptiste fait à ma mère ce que les hommes font aux femmes et qu'elle craindrait de voir Obner ou un autre me faire. Baptiste est le père de Jonas. Je ne connais pas mon père. Du plus loin que je me souvienne il n'y a toujours eu que ma mère. Alors quelquefois je voudrais me boucher les oreilles et fermer les yeux, de quoi faire disparaître Baptiste. J'entends souvent leurs souffles

mêlés la nuit quand ils sont secoués de la tête aux
pieds, dans un vacarme sourd de chats, sur le grand
lit bosselé et déformé.

Baptiste est revenu de chez Boss Charles il y a
quelques minutes. Les funérailles de Mervilus seront
chantées dans deux heures. Le prêtre a accepté parce
que Boss Charles a versé d'avance un peu d'argent.
Ma mère et lui se sont partagé un seau d'eau. Ma
mère s'est mis une poudre trop blanche pour l'ébène
de sa peau, elle a revêtu son unique robe bleue et
ses chaussures noires d'occasion. Baptiste a l'air tout
drôle dans son costume deux fois trop grand pour
lui. Leur parfum bon marché embaume la pièce et
recouvre l'odeur fauve des jours où l'argent de l'eau
fait défaut.

Au départ des adultes, le silence subit du quartier
s'est engouffré dans nos os. Jonas a ouvert son pantalon tout déchiré et a lancé son jet d'urine vers le
ciel. Comme hier, comme le jour précédent, le cortège de nuages s'est défait dès le début de l'après-
midi. Les plus impétueux d'entre eux frôlent déjà la
terre dans le grondement sourd des orages et au
milieu des éclairs zébrant le ciel. Cocotte et Bonel
nous rejoignent. Bravant les interdits, nous nous dés-
habillons et nous livrons à l'ivresse de l'eau, riant à
fendre la terre en deux. L'averse a duré assez longtemps pour éveiller les faims et les soifs endormies
au cœur des hommes et des femmes et abreuver leur
colère. Les corridors qui serpentent entre les cases
se sont transformés en lacis boueux. Les hommes

sont revenus des funérailles, ivres de rage. Baptiste me semble plus maigre que d'habitude, ses joues plus creuses et ses yeux encore plus enfoncés dans leurs orbites. À croire que subitement cette maigreur relevait du surnaturel. La cicatrice sur la joue gauche de Kesnel m'a paru plus profonde. Plus larges aussi les mains velues d'Obner. Anose a entamé il y a quelques minutes un chant et chacun a suivi, mordant dans les mots, mangeant les syllabes. Les voix s'élèvent à mesure, comme décuplées par la pluie.

Dans les cases, les bougies et les lampes à pétrole se sont allumées dans une atmosphère irréelle et biblique. Les chants guerriers des lointaines guerres d'Afrique, des embuscades impardonnables des guerres d'ici sont repris en chœur. Et les dieux, Ogun, Petro et Linglinsou soufflent dans nos voix et je peux entendre leurs incantations et leurs grognements se mélanger aux appels de conques de lambi qui, à leur tour, se mêlent à nos chants. Des ombres de plus en plus nombreuses se déversent dans la nuit. Ma mère a saisi un bâton et est allée gonfler la foule de ceux qui sont déjà armés de machettes, de coutelas ou de piques. Je me fraye un chemin au milieu de pieds osseux, de jambes vigoureuses comme des troncs d'arbre. Les hommes martèlent le sol et les femmes aux hanches de taureau ou effilées comme des épines piaffent dans la boue. Des roulements de tambours déchirent la nuit. La rue est prise de convulsions. Et nous sommes une bande de pouilleux hagards à la peau terreuse, aux yeux caverneux, dans des vêtements fripés. Même nu-pieds, nous ne sentons pas les tessons de bouteille qui s'enfoncent dans nos talons.

Nous surgissons sur la grand-route comme une horde d'outre-tombe. Les derniers taps-taps se hâtent de laisser la zone et les passagers apeurés se collent les uns aux autres sur la banquette arrière du véhicule. Nous avançons jusqu'à l'endroit où la nuit, comme une grande bouche, dévore la route. Nous pillons les boutiques, dévalisons les rares passants qui se sont attardés, attaquant l'unique véhicule de police et brûlant tout sur notre passage. Nous dressons des barricades aux quatre coins du quartier avec des carcasses de voitures abandonnées, des pneus et des tréteaux.

À l'arrivée du second car de police, les coups ont fusé de partout. J'en reçois sur l'épaule, à l'avant-bras gauche. Les premiers coups de feu redoublent notre ardeur. Quand l'un des policiers tombe, les autres s'enfuient. On le cerne dans une sarabande macabre. Il est d'abord bousculé puis on le frappe au visage mais le coup asséné par Rameau l'assomme tout à fait. Nous sommes dans l'enchantement de la violence, les flammes d'un enfer qui nous réjouit, nous secoue de bonheur. La joie égale le sang répandu, la peur et la faim. Et c'est alors que Baptiste lève sa machette et se place juste au-dessus du corps. Ensuite, tout s'est passé très vite. Je me suis baissée puis faufilée entre les jambes comme dans une forêt et j'ai regardé l'inconnu et j'ai entendu dans sa gorge le gargouillis à peine perceptible du dernier souffle. Dans un mouvement brusque, je me suis retirée, confuse, retournée, hagarde. Et j'ai couru éperdument, me laissant tomber sur le sol derrière la porte d'une maison abandonnée à la lisière du quartier. Et j'ai ressenti la brûlure et la douleur à l'épaule et à l'avant-bras gauche.

J'entends distinctement des pas lourds et prudents comme ceux d'un chasseur à l'affût. La respiration est oppressée. C'est celle d'un homme. De ses ongles, l'homme gratte les surfaces rugueuses des murs, cogne contre le bois des portes et des fenêtres. Et puis soudain une voix autoritaire et chevrotante à la fois murmure mon prénom. Plusieurs fois. Je reconnais la voix d'Obner. Je respire à peine, prise d'une légère nausée. La première fois, je ne voudrais pas que ce soit Obner. Je ne veux pas de ses grandes mains calleuses. Je ne voudrais pas me débattre, griffer et mordre jusqu'à ce qu'il me laisse pour morte. Je me recroqueville. J'ai peur. Je me tapis dans l'ombre, dans le ventre de la nuit et j'attends.

Quand les pas s'éloignent enfin, je cours comme si des ailes avaient poussé à chacun de mes flancs et je ris malgré la douleur, malgré la peur. Et je continue à courir. Et comme par enchantement mes forces augmentent. Même les ombres semblent exténuées. Certaines rôdent, perdues dans leurs rêves insomniaques, d'autres titubent de fatigue, certaines pansent des plaies et d'autres errent dans les décombres.

Je regarde là-haut le ciel lavé et pailleté d'étoiles. Et je rejoins les constellations dans leurs mystères, leurs extravagances et leur beauté. La lune fait de grandes taches blanches presque laiteuses. Je suis seule. Enfin. Seule à respirer sous cette lune.

J'ai douze ans et je me sens forte. Forte et belle.

Notes :

* Véhicule aménagé et peint de couleurs vives et d'expressions tirées des proverbes de la Bible, du cinéma ou du football, servant au transport en commun.

** Variété de tubercule servant de légume dans la préparation de potages et bouillons.

LE JOUR OÙ LE NAIN CESSA DE PARLER

Fouad Laroui

Fouad Laroui

Né à Oujda, au Maroc, en 1958.

Docteur en sciences économiques, Paris 1994.

Après plusieurs années passées en Angleterre, il vit à Amsterdam, où il est professeur d'économie et directeur de l'institut des Sciences de l'environnement à l'université libre d'Amsterdam.

Critique littéraire au magazine *Jeune Afrique*, il a publié des romans :

Les Dents du topographe (Julliard, 1996 ; J'ai lu, 2000).

De quel amour blessé (Julliard, 1998).

Méfiez-vous des parachutistes (Julliard, 1999).

À paraître en 2001 :

Le Maboul (sur rendez-vous), nouvelles (Julliard).

Quand j'étais petit, je ne demandais rien à personne. Et non seulement je ne demandais rien, mais je ne répondais même pas quand on me parlait. Ce n'était pas de l'impolitesse ou de la méchanceté. Simplement, j'étais comme ça. On avait beau me prendre sous les bras, me soulever et me jeter en l'air, pour m'effrayer, je ne criais pas. On avait beau me chatouiller, me faire des bises et me dire des bêtises, je me contentais de sucer mon pouce et d'attendre que tout cela finisse. Et quand on me redéposait par terre, ou quand on me lâchait, je tournais la tête et je regardais par la fenêtre, s'il y avait une fenêtre. S'il n'y avait qu'un mur, je regardais le mur.

Si on me dérobait mes jouets, pour voir, eh bien c'était vite vu : je ne pleurais pas, je m'en allais sans mot dire. D'ailleurs, ce n'était pas vraiment mes jouets. C'était des objets colorés qu'on me mettait de force entre les mains. Je les regardais un peu puis les posais. Si c'étaient des cubes, je les mettais soigneusement l'un sur l'autre et je m'en allais.

Ma mère s'inquiétait parfois, mais pas trop. Elle

avait l'habitude : mon père était lui aussi très silencieux, surtout quand il lisait son journal, enfoncé dans son fauteuil.

Quand j'eus l'âge d'aller à l'école, j'allai à l'école, sans faire d'histoires, sans me mettre dans tous mes états, sans pleurer. Pour tout dire, quand ma mère s'éloigna, le premier jour, me laissant tout seul parmi les autres enfants, c'était elle qui pleurait.

Dans la cour, je me mettais dans un coin et je regardais les autres courir et crier et rire et jouer. Quand un ballon atterrissait à côté de moi, je le renvoyais vite, d'un grand coup de pied. Parfois, je me contentais de regarder le ballon sans le toucher. On avait beau faire de grands gestes, me crier « le ballon ! le ballon ! », je ne bougeais pas. On n'y comprenait rien. Pourtant, c'était très simple : je ne renvoyais le ballon que si celui-ci avait fait exactement trois bonds avant de s'arrêter à côté de moi. S'il en avait fait moins, je ne le renvoyais pas. S'il en avait fait plus, non plus.

La maîtresse d'école me trouvait vraiment trop sage. Quand elle me parlait, je regardais par la fenêtre ou mettais les cubes de couleur les uns sur les autres. Ou bien je baissais les yeux, sans rien dire. Elle était si inquiète qu'un jour elle fit venir une sorte de docteur, disons un homme à l'air grave qui portait une blouse blanche et des lunettes toutes rondes. Il me tapota la joue et me parla longuement. Il posait beaucoup de questions mais je ne répondais rien car je regardais sa cravate avec beaucoup d'attention. Si on tirait fort dessus, ça faisait mal ? Bien sûr je n'osais pas essayer. Mais je me promis de poser la question au nain.

Le nain ? C'était peut-être un lutin... Un ami de la famille l'avait rapporté de Marrakech et il nous l'avait donné. On l'avait installé dans le jardin, au bout de l'allée, là où le gazon commence. Pour tout le monde, le petit bonhomme de pierre n'était qu'un objet amusant. Il faisait une petite tache rouge sur le gazon vert et, à part ça, n'avait aucune importance. Mais moi, je connaissais la vérité. Le lutin n'était pas un vrai lutin. C'était un petit vieux tellement pauvre qu'il n'avait même pas de maison. Alors il habitait dans le jardin et se nourrissait de grenouilles et de vers de terre. Quand personne ne le regardait, il allait boire à la petite fontaine, au milieu du gazon. Si quelqu'un sortait dans le jardin, un invité par exemple, le petit bonhomme revenait en un éclair à sa place et il ne bougeait plus. Il retenait son souffle et fermait les yeux. Il faisait semblant d'être un objet tout à fait immobile.

Bien sûr, je ne racontais à personne la vraie histoire du nain. En échange, celui-ci m'apprenait plein de choses. Quand je ne comprenais pas quelque chose, j'attendais le soir puis je filais vers le fond du jardin où je restais à bavarder avec le petit vieux jusqu'à ce que ma mère m'appelle. Parfois, c'était le petit bonhomme qui venait me parler pendant mon sommeil.

Quand je lui posais une question, il réfléchissait longtemps, très longtemps, puis il disait, le plus souvent :

– Parce que c'est comme ça.

Ou bien :

– Peut-être que oui, peut-être que non.

Ou encore :

– Il faudrait essayer.

Si on tirait très fort sur la cravate du docteur, est-ce que cela lui faisait mal ?

– Il faudrait essayer.

Pourquoi y a-t-il un soleil dans le ciel, et pas deux ou trois ?

– Parce que c'est comme ça.

Quand le chat dort, est-ce qu'il rêve ?

– Peut-être que oui, peut-être que non.

*   *
*

Un jour, mes parents invitèrent beaucoup de gens à la maison. Il y avait là leurs amis et aussi quelques voisins. Comme il faisait très beau, on avait disposé des chaises dans le jardin. Les invités, un verre de jus de fruits à la main, formaient un grand cercle et parlaient très fort en riant de temps en temps et en faisant de grands gestes. L'un des messieurs, un gros bonhomme, portait un *fez*, cette drôle de toque rouge, assez petite, avec une mèche de poils noirs qui dépasse par derrière. Assis à côté du nain, j'avais les yeux rivés sur le *fez*. Je le regardais avec tant d'attention que je ne vis pas une dame, une voisine, s'approcher de moi tout doucement. Je finis par demander au nain, à haute voix, si les cheveux qui dépassaient du chapeau étaient vraiment les cheveux du gros monsieur ou s'ils étaient ajoutés au stylo feutre. Mais avant que le gnome ait eu le temps de répondre, la dame, qui était maintenant vraiment tout près, s'exclama :

– Mais tu parles au nain ?

Je sursautai mais je ne répondis rien. Je me tournai pour mieux voir l'intruse. Elle avait des yeux rouges, des cheveux noirs et des dents jaunes. Elle fumait une cigarette qui sentait très mauvais. Elle répéta sa question mais je ne l'entendais pas. Je regardais, fasciné, ses boucles d'oreilles en me demandant comment elle faisait pour dormir avec ses drôles de fleurs en fer qui lui couvraient la moitié du visage. Fâchée, elle me pinça la joue :

– Eh bien ! Il faut répondre quand on te parle ! Surtout si c'est une grande personne qui te pose une question !

Peut-être que ces fleurs de fer devenaient toutes petites quand la dame dormait ? J'aurais bien voulu poser la question à mon ami le nain mais celui-ci était maintenant caché par la jupe de la méchante dame. Elle reprit :

– Je t'ai vu parler à ce petit truc de pierre. Qu'est-ce que tu lui disais ?

Elle attendit un peu, puis ajouta, avec un vilain sourire :

– De toute façon, il ne peut pas te comprendre.

Tu lui parles en quelle langue ? Celle de ton papa,
de ta maman ? Celle de la maîtresse ? En marocain ?
En français ? Mais lui, regarde, c'est un vieux paysan tout racorni. C'est un *fellah*. Tu sais ce que c'est,
un *fellah* ? Ça veut dire paysan. Ne te fatigue pas à
lui parler, il ne te comprend pas. Il vient de la campagne. Il ne comprend pas la langue de la ville.

La dame ricana, me tapota les cheveux (un peu
trop fort) et s'en alla en tirant sur sa cigarette.

Je ne savais pas ce qu'était le marocain, ni le
français, ni la langue de la ville, ni la langue de la
campagne. Très étonné, je demandai au nain si
c'était vrai, ce que la dame avait dit, si vraiment il
ne pouvait pas me comprendre. Alors, tout ce temps-
là, il m'avait raconté des bêtises ? Le bonhomme
avait l'air triste. Il était beaucoup moins vif qu'avant.
Son bonnet pendouillait sur son front. Il murmura :

– Oh ! Quelle importance... De toute façon, je
m'en vais. À partir d'aujourd'hui tu poseras tes
questions aux autres.

– Mais à qui ?

– Eh bien, à ta maman, à ton papa, à la maîtresse.

Ce furent les dernières paroles du nain. Mais il ne
s'en alla pas. Simplement, il ne répondait plus.
J'avais beau le secouer, lui tordre le nez, le supplier,
le petit bonhomme de pierre s'était figé, avec une
drôle de grimace au coin des lèvres. Le lendemain,
il faisait exactement la même tête. Le jour d'après,
aussi. Et tous les jours qui suivirent.

*   *
*

Peu à peu, je cessai de m'intéresser au nain-qui-ne-parlait-plus. Mais que faire, alors, puisqu'il n'y avait plus personne avec qui bavarder ? Parler aux adultes ? Ils étaient trop grands. Et ils parlaient trop vite.

Je me mis à explorer le jardin, à soulever des pierres, à regarder derrière les bancs de fleurs. Je découvris beaucoup de plantes, qui avaient des couleurs et des formes différentes. Avaient-elles aussi des noms différents ? Un soir, je m'approchai de mon père, qui lisait assis dans son fauteuil préféré, et je lui demandai si toutes les plantes avaient un nom. Il fut si surpris par la question qu'il en laissa tomber son journal. Il se retourna, la bouche ouverte, et regarda son petit garçon, qui le fixait droit dans les yeux. Il finit par répondre :

– Certaines, mais pas toutes.

– Il y a des plantes qui n'ont pas de nom ? demandai-je, très étonné.

– Bien sûr ! Toutes celles qui sont au fond de la forêt vierge, en Amazonie ou au Congo, et qui n'ont pas encore été découvertes.

– Si je trouve une plante dans le jardin, et si personne ne la connaît... je peux lui donner un nom ?

– Bien sûr. Comment l'appelleras-tu ?

– Je ne sais pas encore. On verra. Je dois d'abord la trouver.

C'était la première discussion sérieuse entre nous deux.

Je devins donc un explorateur. Chaque soir, après l'école, j'allais dans un coin du jardin et regardais avec beaucoup d'attention toutes les plantes et toutes les fleurs. Je demandais à mon père, dix fois par jour :

– Comment elle s'appelle, celle-là ?

Et dix fois par jour mon père prononçait un nom, que je m'efforçais de ne pas oublier. Puis un jour le miracle se produisit. Papa, qui comme toujours lisait son journal, enfoncé dans son fauteuil, fronça les sourcils en regardant la brindille verte que son fiston tenait dans la main.

– Celle-là, je ne sais pas, avoua-t-il.

– Alors, je peux lui donner un nom. C'est ma-fouzère.

Car j'avais déjà préparé un nom, au cas où... J'allai mettre la plante dans un petit pot. J'en étais très fier et je ne manquais pas de la montrer aux visiteurs, qui ouvraient de grands yeux. En même temps, j'avais toujours un peu peur que quelqu'un reconnaisse la plante et me dise :

– Mais non, gros bêta, c'est une *Trucmachinus* (ou quelque chose comme ça).

Mais, heureusement, personne ne connaissait ma-fougère.

* *
*

Un jour, je vis des moineaux picorer des graines devant la grille du jardin. Tout en les regardant, je me demandais si on connaissait le nom de tous les oiseaux. Il y en a tellement ! Peut-être pouvais-je aussi découvrir un oiseau très rare et lui donner un nom ? De grands savants en parleraient. On m'inviterait peut-être à montrer ma découverte dans tous les pays du monde entier. Je passerais à la télévision, mon oiseau perché sur l'épaule.

Il n'y avait qu'un seul problème : comment attraper l'oiseau ?

Autrefois, j'aurais couru au fond du jardin pour poser la question au nain, mais cette idée ne me vint même pas à l'esprit. Je n'osais pas demander à mon père. Alors je cherchai tout seul la solution. Pendant des jours et des jours, je ne pensai qu'à cela : comment attrape-t-on les oiseaux ? Puis un soir, je vis le chat jouer avec une balle de ping-pong, dans le salon. Je le regardai avec attention. Le chat s'aplatissait sur le sol, les yeux fixés sur sa proie, il semblait pris de tremblements, son petit derrière se soulevait puis il bondissait soudain sur la balle. Ça ne ratait jamais. C'était impressionnant.

Je m'allongeai sur le sol, bien qu'il fût glacial, rentrai la tête dans les épaules, soulevai mon derrière, fis de petits mouvements avec mes jambes et voulus bondir. Mais je n'y réussis pas. Ma tête resta

153

collée au sol, tout mon corps passa par-dessus et
tomba à plat sur le sol. Je me fis très mal.

N'ayant pas réussi à faire comme le chat, je décidai de poser la question à mon père. Celui-ci haussa
les épaules.

– Mais tu n'as pas besoin d'attraper l'oiseau ! Il
suffit de bien le regarder, même de loin. Tu pourras
alors le décrire très précisément. Et si tu lui donnes
un nom avant tout le monde, ce sera *ton* oiseau.

– Même si je ne l'ai pas vraiment attrapé ?

– Mais oui !

Mon père se mit à rire et ajouta, à la fois sérieux
et souriant :

– La meilleure façon d'attraper les choses, ce sont
les mots !

Et il se replongea dans son journal.

*   *

*

*La meilleure façon d'attraper les choses, ce sont
les mots.* Je n'étais pas sûr d'avoir bien compris cette
phrase. Je pensai tout à coup au nain de pierre, qui
disait des phrases beaucoup plus simples que celles
des adultes. Au moins, on le comprenait tout de suite,
lui ! Même si ça ne servait pas à grand-chose... Mais
c'était fini tout ça, le petit bonhomme ne parlait plus,
il était même tombé à la renverse dans le jardin et
personne ne l'avait redressé. Il se couvrait petit à petit

de terre et de mousse. Je cessai bien vite de penser à lui car la phrase de mon père me trottait dans la tête.

Je sortis dans le jardin pour chercher des oiseaux inconnus auxquels donner un nom. Mais je n'en trouvai pas beaucoup. À vrai dire, je n'en trouvai même aucun car il faisait très chaud, ce jour-là. Tout le monde semblait faire la sieste, même les animaux. De toute façon, il n'y a pas beaucoup d'oiseaux inconnus à Casablanca.

J'eus alors l'idée de leur donner des noms quand même, des noms que j'inventerais tous les jours, au fur et à mesure. On me montrait un nid de cigognes et je criais :

– Oh ! Des *klaklaks* !

– Mais non, on les appelle des cigognes.

– Des *klaklaks*.

– Répète après moi : ci-gogne.

– *Kla-klak*.

Les gens haussaient les épaules et s'en allaient. Pendant quelque temps, je donnai des noms à tout ce que je voyais, comme Adam en son Éden. Mais comme personne d'autre ne connaissait ces noms, les conversations tournaient court. Si je demandais :

– Papa, pourquoi les *toukous* ont-ils des *blobs* sur la tête ?

Mon père me regardait, la bouche ouverte, puis disait :

– *Toukous* ? *Blobs* ? Qu'est-ce que tu racontes ?

Puis, ayant compris de quoi il s'agissait, il éclatait de rire :

– Ah ! Tu veux dire : pourquoi les *coqs* ont-ils des *crêtes* sur la tête ?

Je finis par comprendre qu'au lieu d'inventer des mots, il valait mieux utiliser ceux qui existaient déjà puisqu'on finissait tôt ou tard par y revenir. Bien sûr, j'aurais pu utiliser mes propres mots avec le nain du jardin, qui comprenait tout, autrefois. Mais d'abord, le nain ne parlait plus. Et, de toute façon, ses réponses ne valaient pas celles de mon père. Avec les réponses de ce dernier, on pouvait fabriquer d'autres questions, et on avait alors d'autres réponses, et ainsi de suite. C'était un jeu très amusant, surtout pour moi. En revanche, les réponses du nain (je m'en rendais compte à présent) m'avaient toujours fait l'impression d'un mur qu'on ne pouvait pas traverser.

Alors je décidai d'apprendre *tous* les mots pour pouvoir poser *toutes* les questions.

Je me mis à lire, à lire sans cesse, et quand je ne lisais pas, je demandais le nom des oiseaux, des plantes et des fleurs, et je posais toutes sortes de questions, et quand on m'avait répondu, il y en avait encore. Je parlais sans cesse. On ne pouvait plus m'arrêter. Mon père et ma mère s'arrachaient les cheveux. Ils me donnèrent un stylo et du papier.

– Note là-dessus tous les mots du monde. Et toutes les questions. Et tout le reste.

– Est-ce qu'il y a assez de papier ?

– On en fabriquera spécialement pour toi.

C'est ainsi que je me suis mis à écrire. Je ne me suis jamais arrêté.

LES PAPILLONS NOIRS

Gisèle Pineau

Gisèle Pineau

Née à Paris en 1956, Gisèle Pineau est un écrivain trans-atlantique. À l'image de son enfance, ses romans et nou-velles dévoilent un univers où les personnages vont et viennent entre la France et la Caraïbe, entre le créole et le français, entre les désillusions et l'espérance.

Derniers ouvrages parus :

L'Âme prêtée aux oiseaux, roman (Stock, 1998).

Femmes des Antilles, essai (Stock, 1998).

L'Espérance-macadam, roman (Stock, 1995 ; Le Livre de poche, 1998).

L'Exil selon Julia, récit (Stock, 1996 ; Le Livre de poche, 2000).

Caraïbes sur Seine, roman jeunesse (Dapper, 1999).

Il se passe toujours quelque chose au pays des souvenirs. Les histoires passées se reconstruisent parfois au défilé d'images échevelées surgies de la mémoire. Elles se bousculent, soûles, hagardes. Se déploient, selon la grandeur des mots dont elles se parent, habits de lumière ou vieilles robes de carnaval. Armes abandonnées, elles cognent dans la poitrine, implorent qu'on les tire de l'ombre. Mais il faut s'en garder, elles s'avancent souvent masquées, grimées, escortées de rires tristes et d'une petite musique tourmenteuse qui rameute aussitôt les chagrins oubliés.

L'enfance habite ce pays où les images et les mots se frottent sans cesse comme ces pierres miraculeuses qui allument des feux pour cuire le manger des corps et réchauffer les cœurs, un moment, juste avant de s'en aller dévaler les mornes et brûler les savanes plantées jour après jour d'arbres neufs.

Nous étions six frères et sœurs.
Les années soixante.

Île-de-France, Val-de-Marne.
La cité du Kremlin-Bicêtre.

Nous étions six frères et sœurs nés en France.
Un père, une mère nés en Guadeloupe.
Et une grand-mère qui causait en créole au pays de la langue française.

Nous étions six frères et sœurs.
Négropolitains sans le savoir, le mot naquit plus tard.

En 61, après un séjour au Congo – le père était militaire de carrière – nous avions fait escale en Guadeloupe avant de regagner la France. « Nous sommes en congé de fin de campagne... » aimait dire l'adjudant lors de visites rendues à la famille.

Trois mois passés en Guadeloupe avant de gagner l'Île-de-France.
Un clou fiché au cœur de l'enfance.
Il reste de ce temps des albums sur lesquels les photos, même si cassées aux coins et jaunies, ont survécu aux mille aller et retour entre la France et la Guadeloupe. Sur l'une d'elles, le père pose au garde-à-vous, la mine sombre. Il trame déjà d'arracher Man Ya aux griffes de son époux qu'on appelle le Bourreau, de la ramener en France avec nous. La mère, icône d'ivoire, sourit des lèvres mais son regard flotte sur des eaux amères. Les enfants

grimacent face au soleil. Je suis la quatrième. La deuxième fille. Nous sommes à Capesterre, sur une petite route de terre qui serpente dans une bananeraie des hauteurs de Routhiers, l'arbre familial ramifie jusque-là. Routhiers, c'est un hameau niché dans les bois noirs au pied de la Soufrière. C'est là que le grand-père roue de coups Man Ya. Des négrillons grignent avec nous sur le cliché. Ils portent des chemisettes déchirées et des shorts élimés.

Sur une autre photo, prise devant leur case du bourg, apparaissent les grands-parents maternels, Man Bouboule et Pa Bouboule. Lui pèse de tout son poids sur sa canne, son côté droit est mort depuis dix ans. Elle, mâchoires serrées, se tient droite dans sa longue robe créole flanquée de fleurs énormes. Deux de mes tantes sont là aussi, tellement jeunes et belles tante Momo et tante Myrtha...

J'avais quatre ans.

Je me souviens de Man Bouboule.

Le soir, à la lumière d'une lampe à pétrole fumeuse, elle halait de sous son matelas des toiles et des vieux sacs de farine-France qu'elle étalait, pour le couchage de ses petits-enfants, sur le plancher, au mitan de la salle à manger. Le sommeil tardait à venir dans ces draps de misère. Toute la nuit, une bougie restait allumée sur la table de chevet de Man Bouboule. Sa petite flamme vacillait et dessinait des ombres chinoises dans la case. Des fantômes informes qui dansaient au-dessus de nos têtes sur les tôles. Des créatures sans voix qui vous tombaient dessus à minuit. Des revenants qui se terraient le jour dessous les lattes du plancher et puis entraient dans les rêves si l'on dormait la bouche ouverte.

J'avais quatre ans à peine.

Je me souviens de ces matins où la chair se réveillait meurtrie d'entre les draps-sacs. Les os du dos raidis et l'esprit habité par des morts et des bourreaux à figures allongées. Un chuchotis de voix montait doucement au fur et à mesure que le jour se levait. Et puis, l'arôme du café embaumait soudain la case et se mêlait aux parfums de cannelle, vanille, muscade et essences d'amandes amères du chocolat à l'eau qui constituait, avec le pain rompu dans les bols de faïence lourde, le premier repas des enfants.

J'avais quatre ans à peine et je répondais déjà à ce prénom qui sortait sans cesse de la bouche de Man Bouboule et puis voletait autour de moi pareil à un grand papillon noir...

Ou ka sonjé jan Gisèle té bèl...
Ou ka sonjé ki manyiè Gisèle té ka maché...
Ou ka sonjé joula Gisèle mayié...

Souvenez-vous comme Gisèle était belle...
Souvenez-nous comme Gisèle marchait droit...
Souvenez-vous du jour où Gisèle s'est mariée...

Tandis que je trempais mes lèvres dans le chocolat noir, Man Bouboule évoquait sa fille défunte. La plus belle sortie de ses entrailles. Celle qui avait hérité des plus beaux cheveux. Celle qu'on maria la première. Celle qui promettait tant de jours de joie. Et qui mourut de chagrin, veuve, au lendemain de ses trente ans, laissant trois enfants orphelins. Tout le restant de la matinée, dans la cuisine, autour des racines à éplucher, des viandes à assaisonner ou des poissons-nasse à écailler, les conversations des femmes dérivaient, sautillaient de-ci de-là, tombaient parfois dans des gouffres de silence, glissaient tour à tour du créole au français, se perdaient dans des forêts de noms propres et communs où la mémoire tenait le premier rôle. L'histoire de Man Ya et de son enlèvement prochain revenait toujours à l'heure où le déjeuner était paré.

Je me souviens...

J'avais quatre ans à peine. Je restais la matinée entière auprès des femmes. Je ne voulais ni jouer ni courir et sauter dehors sous le soleil. Juste écouter, oubliée, posée silencieuse dans un coin d'ombre. La faim d'histoires. Paroles ressassées, murmurées. Rires étouffés. Silences empesés de tristesse et regrets. Je ne demandais rien. Je comprenais peu de choses mais les mots que j'attrapais m'enchantaient toujours. Ils déboulaient en vrac, se mêlaient aux parfums des épices, fabriquaient aussitôt des images aux couleurs mystérieuses et donnaient surtout la parole aux créatures levées de la nuit à la lumière de la bougie, à cette autre Gisèle aussi...

Quand la cloche de l'église de Capesterre sonnait midi, Man Bouboule découvrait une dernière fois le canari, plongeait une cuillère dans la sauce qu'elle goûtait, du bout de la langue, dans un sourire gourmand et satisfait. Puis, son regard virait au noir et elle disait : « Gisèle aimait tant le court-bouillon ! Si elle n'était pas montée au ciel dans la fleur de l'âge, vous auriez vu comment elle se serait léché les doigts aujourd'hui ! »

« Gisèle, va dire à Pa Bouboule et à tes frères que le repas est prêt ! »

Je restais un moment hébétée, à croire que ce nom dont on m'avait baptisée ne m'appartenait pas, comme si on appelait le fantôme de ma tante défunte.

« Gisèle, obéis un peu ! »

« Gisèle ! Tu dors... »

On me secouait.

« Gisèle ! Gisèle ! »

Alors, je me levais. Reprenais possession de ce nom prêté. Et m'exécutais, enivrée de mots, les jambes molles et le dos voûté pareille à unetelle qui porte toute la fatalité du monde sur ses épaules. Le plancher craquait sous mes pieds. Je traversais la salle à manger d'un pas zombi sous le regard des ancêtres photographiés antan. Peut-être se demandaient-ils ce que je fichais avec ce nom, ou bien ce qui m'avait valu d'en hériter...

Quarante ans plus tard, je me pose toujours cette même question.

Assis sur un banc de la véranda, mon grand-père était chargé de veiller les garçons, mais il passait le temps à regarder passer les passants d'un air absent. À tracer, du bout de sa canne, des cercles et des arabesques sur le sol de terre battue. Autrefois, il avait été fortuné, rieur et bon enfant. On l'avait jalousé. Au pays, on dit que la jalousie est cousine de la sorcellerie... Il avait connu la ruine et la maladie. Il avait perdu un fils à la guerre et sa fille chérie, sa Gisèle...

J'avais quatre ans à peine.

Et, sur le paquebot blanc du retour en France, la tête pleine d'histoires douloureuses que je ne comprenais qu'au quart mais qui me hantaient. Lourds secrets chuchotés qui ne devaient pas sortir des murs de la famille, non plus connaître la lumière du jour, la bouche torve et les rires gras des étrangers.

Sur les quelques photos, souvenirs du voyage, Man Ya pose, digne, comme il se doit. C'est la soirée du commandant ! Engoncée dans ses habits neufs, elle connaît le nom de la prochaine escale – France ! – mais ne se la figure pas. Elle n'a pas choisi de quitter le Bourreau, d'abandonner sa case, de fuir comme une mécréante. Elle se demande pourquoi la vie l'emporte au loin. Elle ne pose pas de questions à son fils qui tient les clés de sa destinée et sait si bien manier les couverts.

Nous étions six frères et sœurs.
Un père et une mère.
Une grand-mère.
Dans un appartement.
Le Kremlin-Bicêtre.
Val-de-Marne.
France.

J'ai dix ans. Man Ya dort dans la chambre des filles. Quatre lits superposés. Je couche au-dessus d'elle. Au mitan de la nuit, je descends mon échelle pour la rejoindre dans son lit, sous sa couverture militaire. Elle m'enveloppe, me serre contre son gros corps chaud qui résonne de mille bruits. Les premières années, Man Ya apprend à écrire son nom et à causer français – un rêve du père adjudant. Nous ne parlons pas de nos fantômes laissés là-bas en Guadeloupe. Pourtant ils habitent chacune des pensées de nos jours et s'échappent des rêves qui naissent du sommeil.

Il pousse des ailes à la Gisèle défunte.
Il vient des larmes aux yeux du Bourreau.
Elle monte au ciel avec son chagrin.
Lui compte les jours dans un vieux cachot.
Les anges là-haut cuisent un bon pain.
Mais Gisèle pleure ses trois orphelins.
Et revient sur la terre. Ravale son chagrin.
Seul dans sa case de Routhiers, le Bourreau.
Il attend Man Ya, la panseuse des maux.
Il a envoyé des sorciers sur un grand bateau...

Au sixième hiver, Man Ya dépérit. Avec ses mots créoles, elle dit la souffrance de ses os. Le médecin venu la visiter diagnostique rhumatismes et dépression carabinée. Il prescrit des cachets blancs et jaunes et une potion amère qu'elle ingurgite sans sourciller, docile, pareille à une condamnée à mort. Elle ne croit pas au bienfait de la chimie des pharmacies. Elle sait que le Bourreau l'attend de l'autre côté de la mer. Elle le répète maintenant chaque jour, il a délégué des sorciers atrabilaires, des diablesses aux dents longues et des créatures infernales qui tisonnent dans son corps, plantent des piquois jusqu'à la moelle de ses os, empoisonnent son sang qu'elle sent couler épais. Elle se projette dans sa case, tout là-haut au pied de la Soufrière. Elle erre dans les couloirs de sa vie d'autrefois. Qui récolte à présent les graines des caféiers ? Qui cueille les cabosses des cacaoyers ? Qui lave le linge du Bourreau ? Qui cuit son manger ?

Six ans déjà, loin de son mari...

Six années d'exil durant lesquelles la nostalgie s'est peu à peu enracinée en elle.

Une nuit, elle met genou à terre et implore qu'on la renvoie à son destin. Elle convoque les esprits du Bien et leur parle. Ils comprennent le créole et répondent que le temps vient, que sa patience touche à sa fin. Ils seront ses gardes du corps pour le retour au pays. Je l'écoute réciter ses prières et causer à des invisibles. Je ne peux croire que ma grand-mère a perdu la tête, alors je plisse les yeux dans la chambre noire et je crois les voir. En tendant bien l'oreille, je crois même les entendre. Ils ont traversé la mer. Alors, d'une voix peureuse, je demande si Gisèle est là. Si elle a quitté sa cachette sous le plancher de Man Bouboule. Si je vais repartir aussi, accrochée à ses ailes...

Quand Man Ya regagne sa couche, après avoir cent fois remercié Dieu, je me blottis tout contre elle, sans questions ni paroles inutiles. Je ferme les yeux très fort. Je compte des vaches blanches – très blanches – qui sautent par-dessus les barrières d'un pré vert – très vert – et paisible de la campagne sarthoise où nous allons en vacances d'été. Avec les ronflements de Man Ya, le sommeil vient, coton, puis mare de plomb dans laquelle nous nous abîmons.

Deux jours plus tard, lorsque son fils adjudant vient lui annoncer un départ imminent, nous sommes deux complices silencieuses.

Je n'ai jamais compris pourquoi je ne fus pas de ce voyage. Mais je sais aujourd'hui que la Guadeloupe – l'île papillon – est un pays où les esprits des morts se jouent des vivants, où les rires habillent les chagrins, où les prénoms qu'on donne aux enfants ne sont pas innocents, où les femmes usent de mille prières, où les bourreaux rencontrent parfois l'amour...

ANJA

Raharimanana

Raharimanana

Né en 1967 à Antananarivo, à Madagascar, il vit en France depuis 1990 et enseigne en région parisienne.

Il a publié des pièces de théâtre, des nouvelles, des romans, dont :

Lucarne, nouvelles (Le Serpent à plumes, 1996).

Le Puits, théâtre (Actes Sud Papier, 1997).

Rêves sous le linceul, nouvelles (Le Serpent à plumes, 1998).

Nour, 1947, roman (Le Serpent à plumes, 2001).

Il a reçu plusieurs prix, entre autres :

Prix Tchicaya U'Tamsi, 1990, théâtre.

Grand Prix littéraire de Madagascar, 1998.

Cela me vient à l'esprit à l'instant...

Révolution

Lieu : Ambohipo, une cité dans la banlieue est d'Antananarivo.

Décor : une place de terre battue. Poussiéreuse. Trois ou quatre camions militaires. Des gens qui s'éparpillent. Qui reviennent. Qui repartent.

Un bruit de fond : apparenté au murmure, à la peur, à l'étonnement...

La scène : j'étais enfant, je n'avais que sept ans. Voici les militaires. Sur la place poussiéreuse. Sur la place de nos jeux. Voici que les militaires embarquent un de nos pères. Un père qui aurait pu être le mien. Les militaires l'enchaînent sur l'un des longs bancs vissés au véhicule. Il nous aperçoit. Filez ! nous crie-t-il. Il se lève. Un des militaires lui abat un marteau sur le crâne.

Ce jour-là, un jour de l'année 1975...

Cela me traverse l'esprit, me déchire...

Révolution, me dis-tu, Révolution...

Quelques mois plus tard, on érigera une bâtisse au milieu de la place poussiéreuse. *Tranom polontany*, disais-tu, maison de la commune. Où l'on délivrait l'état civil. Où l'on rationnait les denrées alimentaires : riz, huile, sucre ou sel...

Car tout est bien de l'État ! Car tout est affaire d'État ! Et notre société est si communautaire ! Le communisme est chose si naturelle dans nos traditions !

Révolution, me dis-tu, Révolution...

Sur cette place poussiéreuse où l'on nous interdit maintenant de jouer, où l'on traîna les traîtres à la nation... Ils avaient vendu du riz ! De l'huile ! Du sucre ! Du sel !

Je me souviens, Anja, je me souviens particulièrement de ton père. Tu étais belle, Anja. Tu étais douce. Ta mère, comme folle, pleurait en suivant les militaires. Ton père courbait la tête. Il regardait ses mains. Enchaînées ! La foule grossissait sur votre passage, ne disait mot.

Poussières encore. Poussières rouges que soulevait la brise...

Je me souviens de ta mère Anja, je n'oublie pas. Elle était grande. Elle fut pliée, rompue. Comme une branche de bambou. Cassure nette et fêlure brutale. Acérée. Blessante. Les gens s'éloignèrent de vous.

Toi-même, tu ne sortis plus. D'ailleurs, t'avions-nous cherchée désormais ? Je passais souvent près de vos quartiers – pour les prises abhorrées de quinine à la Croix-Rouge, pour rôder et dérober les épis dans les champs de maïs à côté – et mes pensées allaient vers toi ; ma rancune vers ton père qui avait osé commettre pareil acte ! Tu étais Anja ma première peine d'amour...

Cela me traverse l'esprit, me déchire...

C'est à cette époque que je me mis à arpenter les collines. Seul. Me lovant dans mes sensations. Mes pas d'enfant m'emmenaient vers les sommets, le souffle court, la poitrine en feu. Les rafales des vents m'effeuillaient comme un vieil arbre. Je reverdissais. Je me grisais. La solitude y était immense et je m'y baignais sans retenue. Je m'y retrouvais. Je n'étais pas de ce monde qui s'installait. De cet autre monde où ne vivaient que mes yeux. Mes yeux qui contemplaient sans comprendre. Mes yeux qui ne me renvoyaient que des reflets diaphanes ou trop brillants. Je n'étais pas de mes parents. Je n'étais pas de mes frères. Ni de mes amis. Ni de toute autre personne...

Je le comprenais trop bien. Mon monde se mussait, se terrait dans le silence.

Comme le jour où, nourrisson, j'étais dans la chambre, une chambre qui n'était pas la mienne ni celle de mes parents ; des murs de bambou, un toit de feuilles de palmier ; une grande obscurité où seules quelques lueurs tremblotantes filtraient à travers les murs nattés ; mon père avait surgi dans l'embrasure de la porte, m'avait tendu les bras pour m'emmener mais je n'étais pas prêt, je ne savais pas encore où je me trouvais, pourquoi j'avais quitté mon monde, pourquoi cet homme était mon père...

J'étais sur une natte, je me rappelle très bien, c'était une natte tressée jaune et vert tendre. Ses fibres provenaient des arrogantes feuilles et des vieilles écorces du bananier qui se trouvait derrière la maison, juste à côté de la fosse putride. Le vert murmurait encore le vent et la brise qui coulaient en lui tandis que le jaune se gonflait déjà des choses de la terre qui l'avait recouverte : poussières ou insectes immatériels...

Cette solitude était immense et je ne vivais que d'elle. J'aspirais à me fondre en elle et ne plus me souvenir. Puisque tout était oubli, écroulement sans fin...

Je m'allongeais dans les herbes hautes, m'oubliant dans les fouillis des fougères. Nul ne me voyait, ne soupçonnait ma présence.

Je regardais...

La cité, surmontée de l'église, s'étendait sur le flanc de la colline : des habitations en paliers qui se dégradaient vers les rizières et les maisons traditionnelles des villages alentour ; murs de glaise et toits de chaume, rouge latérite des anciennes murailles datant des royaumes, simple vestige du passé qui se dresse encore de-ci de-là. Les villages se nomment Ankatso, Andohaniato, ou plus à l'est Ampahateza, Ambohipo-tanàna, l'ancien village qui avait donné son nom à notre cité...

Tout à l'est encore, Ambohimanambola et le fleuve Ikopa qui, imité par le chemin de fer, se déroulait comme un long serpent.

C'est ainsi que, étendu, j'aperçus un jour un sachet de plastique multicolore. J'avais rampé pour l'atteindre, y avais plongé ma main, rencontré comme un vide gluant. Avais retiré ma main rouge d'un sang visqueux, le sang d'un enfant-liquide, le fruit d'un avortement clandestin.

J'avais couru, quitté le bois, pleuré, trébuché sur le ballast du chemin de fer, failli tomber dans les rizières entourant les rails. Des heures durant, j'avais lavé mes mains dans l'eau du fleuve, provoquant les railleries des laveuses, avais tenté d'oublier la tiédeur putride de l'enfant se liquéfiant. Je me mis à espacer mes visites à cet endroit, laissant mes frères s'enivrer de la liqueur des baies et profiter du parfum suave des myrtilles. Ils ramenaient des collines des sachets entiers de ces fruits, les y écraseraient avant d'y percer un trou. Ils les suçaient alors comme des seins gourds de vin. Et m'invitaient. Et me pressaient d'en boire à satiété. Je les contemplais comme tétant à l'enfant-liquide. Comme perpétuant l'écoulement fétide de la chair morte. « Je ne bois pas ! », répliquai-je sèchement.

Les feuilles bruissent dans cette partie des collines, masquent les crimes qui s'y déroulent...

Trafic d'organes, diras-tu plus tard, trafic d'enfants...

Les *Blancs* arrachent le cœur. Les *Blancs* enlèvent les enfants. Te rappelles-tu, Anja ? Nous nous éparpillions dans la cité à la vue d'un seul Occidental. Ils souriaient comme des fous, le regard brillant, avide...

Malgré tout, la peur des Blancs était insignifiante par rapport à celle que nous inspiraient les esprits qui peuplaient les collines d'Ankatso ou d'Ambohimanambola. Ankatso était un ancien village vazimba, les premiers habitants de l'île. Dans la cité, l'on nous recommandait souvent de ne pas enfreindre les coutumes et interdits qui concernaient le village : il était *fady* de pointer le doigt sur ses tombeaux, *fady* de fouler son sol avec un pied de travers, mais surtout *fady* de prononcer le moindre mot qui pourrait fâcher ses esprits. Quel mot ? Nous l'ignorions... Nous gardions le silence en traversant le village, effleurions à peine le sol. Nous touchions le sacré, le ressentions, le vivions. Un immense soulagement nous gagnait en parvenant au sommet de la colline. Le village finissait juste au moment où la pente se raidissait. Au sommet, nous tournions nos regards vers l'est. S'y étendaient encore d'autres collines. À perte de vue. Monticules bleus où rampait l'horizon. Infinité de la terre qui s'étendait jusqu'au vertige.

C'est à cette époque également que j'ai poussé mes raids solitaires au-delà des marécages d'Ambohimanambola pour atteindre la colline aux rochers. Ngita, l'avais-je appelée, Ngita-la-crépue. Pour l'atteindre, il faut passer par les rizières et leurs digues, joindre les terres en jachère où paissent quelques maigres troupeaux de zébus, avant de tomber sur les marécages où les joncs cachent la profondeur de l'eau. La terre va en s'adoucissant jusqu'à devenir boue glissante où nombre de plantes aquatiques s'entremêlent. C'est là que commence le royaume de la Ngita et que l'on doit se souvenir de lui faire un don. J'avais pour habitude d'y déposer un éclat de bonbon, cristal de miel ou de canne à sucre, eau figée dans la douceur ou pierre fondante en la bouche. Ici, dit-on, avait succombé Ngita la crépue, repoussée, vaincue par les nouveaux princes au teint clair et aux cheveux lisses. L'eau avait emporté son corps et l'avait déposé de l'autre côté des feuilles mortes. Son corps entier disparut sous l'amas végétal. Le jour s'en fut. La nuit se fit. La rosée du matin imbiba les feuilles qui se cristallisèrent : tombeau de quartz inviolable, bénédiction des pierres et des rochers. Aujourd'hui, on devine encore à travers la pierre la nervure des feuilles, le souffle du vent qui transforma leur entassement en motif tourmenté. D'autres feuilles tombèrent encore sur le tombeau, d'autres jours, d'autres nuits. On raconte qu'en tout le tombeau s'éleva sur sept étages, sur autant d'immenses rochers. La colline tout entière est la demeure de la Ngita. Je n'y grimpais que le cœur battant, l'esprit torturé par le destin étrange de cette femme. La colline n'est qu'amoncellement de rochers, chute vertigineuse de minéraux où le soleil vient s'effondrer. Je m'y allongeais, offrant mon ventre en caresse, en mémoire...

Quelques années plus tard, alors que j'allais sur mes dix ans, j'eus un maître d'école que je haïssais particulièrement. Il balayait toute la classe de son regard et citait tous ceux qui, selon lui, n'allaient pas réussir à l'examen du CEPE. « Toi, tu échoueras », me fixa-t-il intensément. « À coup sûr, tu seras le premier à échouer. » Il pleuvait à torrents. Nous étions obligés de rester dans les classes pendant les récréations. Rire sonore du maître. Pour nous dérider, pensait-il. L'Ikopa avait débordé de ses rives et coupé toutes les routes entre les collines. L'eau avait recouvert les joncs et les rizières. L'eau allait prendre son dû. Le cyclone...

À la même période, l'école avait sa fête annuelle de Pâques. Il régnait dans la cour un air joyeux de fête foraine : tombola, stand de tir, cheval de bois.

Une immense peur me tenaillait. J'aurais voulu disparaître. J'aurais tant voulu me tenir loin de toutes ces effusions. Dans notre classe, une immense croix, ayant servi pour la procession lors de la fête des

Rameaux, était inclinée contre le mur. Je ne pouvais en détacher mon regard tandis que mon père, représentant des parents et maître d'œuvre des festivités, exhortait les gens à jouer. Une femme enceinte riait dans un manège de bateaux. Elle riait... Je la vis se lever. Je la vis avec son sourire encore. Je la vis basculer. Je la vis tomber. On la porta dans notre salle. Au pied de l'immense croix. Je fermai les yeux. Mon père était là en train de la ranimer. Le lendemain, notre maître était absent. L'eau, gorgeant les marécages, avait inondé le pont qui menait à son village et l'avait emporté ainsi que sa sœur, jeune maîtresse dans une autre classe. L'immense croix était toujours là, les traces de pas, rouge poussière, des gens de la veille, l'empreinte du dos de la femme enceinte. Et l'absence de notre maître. Et son silence terrifiant. Je murmurai dans ma tête : « *Ce n'est pas moi, ce n'est pas moi qui ai demandé à la Ngita de les prendre, ce n'est pas moi...* Je ne voulais pas la mort de notre maître, je ne voulais surtout pas la mort de *mademoiselle Julie...* » Un tombeau fut construit sur la colline contiguë à la Ngita : bâtisse blanche et majestueuse que la pluie, saison après saison, salit et délava...

Je pensai alors à toi, Anja. Je pensai à ton père. Je décidai de t'effacer, de te supprimer de ma mémoire...

Je te voyais de temps en temps. Je t'apercevais furtivement à côté de ta mère qui avait fait amende honorable. Elle travaillait maintenant pour la maison commune. Elle cochait les cartes. Vérifiait. Pesait. Criait : « Au suivant ! » Tu étais silencieuse, toi la fille du criminel qui dormait à la prison de la Terre-Douce : Antanimora.

Parfois, j'allais de ce côté, traversais le bois, passais l'université avant de parvenir au fort Duchesne. Quelques bâtiments gardaient encore des traces de balles. Souvenirs récents des affrontements entre les FRS (Forces républicaines de sécurité) et les révolutionnaires. Sur l'autre versant, plus bas sur la pente se trouvait la prison : bâtisses en terre étrangement vulnérables.

Un mausolée fut dressé à l'entrée du fort. De marbre et de ciment. Brillant comme je n'en ai jamais vu. Là furent transférées les cendres de quelque grand patriote et martyr de la Révolution. J'y avais vu, lors de son inauguration, mes premiers motards de la République. Et des cavaliers en quantité. Et des voitures officielles teintées de noir et de puissance. Y avait émergé celui qui avait juré solennellement de ne pas tourner le dos à son devoir...

Tsy miamboho adidy aho, *mon général*...

Il était beau le capitaine de frégate...
Celui qui selon la rumeur avait assassiné son prédécesseur à la présidence : Ratsimandrava ou Celui-qui-jamais-ne-détruit-ou-ne-ravit-les-biens-d'autrui...

Révolution, me dis-tu, Révolution...

J'étais enfant, innocence, silence ou saisissement perpétuel. Je ne m'expliquais pas ces événements, ni ces clameurs qui enflaient soudain. Et ces bruits et ces confusions qui gagnaient la cité. Et ce silence avant les premiers coups de feu : MAS36, kalak.

Cela commençait toujours par l'université. Invariablement...

MAS36 : les étudiants avaient gagné et forcé le barrage. Kalak : des hordes affolées se dirigeront bientôt vers notre cité. À ce moment, les jeunes de notre cité sortiront et lanceront des pierres aux militaires qui bloquent le chemin de terre. Les étudiants tenteront de se cacher dans le bois, traverseront les rizières pour atteindre les rochers d'Ankatso ou même filer plus loin, vers Albohidepona, Ambohimangakely...

La colère gagnait notre cité ; les jeunes se rabattaient sur les bus et les bloquaient à l'entrée de la cité, à l'endroit même où les militaires étaient postés. Saccage. Brasier dans la nuit tombée. Nous riions ! Chantions !

Une fois, avant de brûler le bus, l'un de nous, plus grand, réputé pour sa témérité, avait décidé de prendre le volant afin de faire un tour en ville. Gagnés par sa folie, nous nous étions tous précipités à l'intérieur. Le bus partit dans une embardée folle, dévalant la pente à une allure vertigineuse. Nous comprîmes soudain... Certains entreprirent de sauter par les fenêtres. Comme extasié, je les voyais s'éparpiller hors du véhicule, roulant sur le bas de la route, boulant vers les côtes érodées de la colline... Je n'avais gardé que cette image, j'avais oublié tout ce qui s'ensuivit. Je me rappelle simplement avoir cherché mon aîné. Longtemps. Très longtemps. En le retrouvant, il me fit promettre de ne rien dire à nos parents, me mit un caillou sous la langue : « Si tu ouvres la bouche, ce caillou roulera dans ta gorge et deviendra un énorme rocher poussant dans ton ventre ! » Parole lourde de crainte et de menace mais aussi rite enfantin. Pour conjurer la colère des parents. Pour se concilier la bienveillance des esprits...

Je me remis, Anja, à rôder autour de vos quartiers, y entraînai mes amis. Pour défier, leur disais-je, la bande qui y sévissait. Mais tu ne sortais pas, Anja ! Tu étais là. À ta fenêtre. Disparaissant au moindre bruit.

Sans aucun doute, tu avais raison. Sans aucun doute. Te rappelles-tu ? Ils nous avaient entraînés ce jour-là dans le petit bois jouxtant l'école. Ils... Les grands frères nous dirent de nous embrasser, de nous déshabiller. Ils voulurent mettre mon sexe dans le tien. Je ne comprenais pas. « Ça ne tient pas, s'exclamèrent-ils, ça n'entre pas. » Ils calèrent mon sexe dans le tien avec des brindilles de bois. Des brindilles de sapin. Ils partirent en m'insultant. Je n'étais pas un homme, paraît-il. Cela s'était passé avant les événements, avant que ton père n'aille dans ce camion maudit...

Petit à petit, j'abandonnai les terrains de nos jeux, visitai de moins en moins les collines. J'avais entrepris de t'oublier, Anja. Je négligeai même de parler. Ma langue collait tellement que j'avais du mal à la bouger. Je me réfugiai dans la pénombre de notre chambre d'enfants : deux lits, l'un pour nous, les trois garçons, l'autre pour les trois filles : Jeanne, Annick, Patricia ; la dernière, Judith, dormait encore avec les parents. Je lisais. Je m'étais juré de lire toute la bibliothèque de mon père. Pour me venger d'une gifle...

J'avais trois ans quand j'avais escaladé la bibliothèque du salon. L'odeur des livres était irrésistible. Je voulais simplement humer les pages, caresser les couvertures. J'avais réussi à me tenir sur le bord de la bibliothèque où ma mère alignait ses bibelots. Mon père me vit ainsi. Sa gifle partit. Je ne voulais pleurer en aucun cas mais je vis une flaque à mes pieds : j'avais mouillé ma culotte, j'y vis ma honte. Au même instant, je m'étais juré de ne plus jamais montrer ma peur, juré de lire tous ces maudits livres. Je pressais ma mère de m'envoyer à l'école. Je pressais ma mère de m'apprendre la signification de ces lettres. Obtus, je me dérobais à la vigilance de ma mère et suivais mes grandes sœurs sur le chemin de l'école. Jeanne me renvoyait à la maison mais je m'agrippais à elle. Elle me ramenait puis repartait en courant. Mes parents, flattés ou fatigués, me mirent finalement à l'école.

Anja, Anja...

Je t'aperçus un jour en ville, pâle comme jamais. Je me détournai, tins pour une fois la main de ma mère, ma mère qui saluait la tienne, la tienne qui n'avait plus que la peau sur les os. C'est la dernière image que je garde de toi. Vous aviez disparu un beau matin, quitté la cité. Ton père mourut dans la cellule qu'il partageait avec cinquante autres personnes. Pneumonie...

Pour avoir vendu du riz. Pour avoir vendu du sucre !

Peu après, nous partîmes pour les vacances. La super-goélette nous emmenait vers Diégo-Suarez. Debout derrière le siège du chauffeur, je laissai pendre ma main hors de la portière. Ma main tenait le chapeau de tissu que j'avais depuis toujours. Je le lâchai. J'avais cessé d'être un enfant...

LES JEUNES FILLES DE LA COLONIE

Leïla Sebbar

D'abord,
Ce n'est pas la guerre.

Et je ne sais pas que je suis *bigarrée*. Ce mot, je
ne le connais pas, je ne l'ai jamais entendu, ni lu
quand je saurai lire. Les cerises rondes, rouges et
blanches, on les appelle des bigarreaux, je le sais,
j'en mange, la bouche pleine de jus et de chair. C'est
doux et mouillé.

Bigarré, je verrai ce mot-là, plus tard, lisant
les *Dames galantes* de Brantôme, un « pays » de ma
mère, natif de Brantôme, la ville qu'on nomme
joyeusement la « Venise du Périgord », les Anglais
l'aiment. À sept kilomètres, La Gonterie, où ma
mère a refondé une famille, retrouvant la mémoire
de la Dronne, un affluent de la rivière Dordogne,
rassemblant, une fois l'an, ses membres dispersés
jusqu'à la Caraïbe et la Nouvelle-Zélande. La maison paysanne a un grenier et une cave, une vaste
grange, un pré bordé de cèdres centenaires, la dernière tempête a déraciné trois cèdres et un noyer, les

arbres terrassés couvrent la moitié du pré, racines tragiques, dressées vers le ciel, ma mère ne veut plus les voir.

Une maison de mémoire, désormais. Avec, dans le grenier, des jouets d'enfants, des livres, des bords de lits paysans... des coques de noisettes abandonnées par les écureuils et les loirs ; et dans les caves, du vin de noix, des confitures, des confits, des poires de curé et des prunes-cerises rouges au sirop... Ma mère a reconstruit la maison de son père au bord de la Dronne, celle qu'elle n'a pas habitée dans le pays de l'exil amoureux, de l'autre côté de sa terre, de l'autre côté de la mer, l'Algérie. Mon père aurait dit, ou plutôt il n'aurait pas dit, il aurait pensé. J'en suis sûre, je ne peux plus lui poser mes questions indiscrètes, il a pensé, que cette maison de ma mère, la sienne aussi dans ce pays de rivières, personne ne serait là, vivant jour après jour ses saisons, pour la tenir debout, pas une femme (parce que les hommes ne sont pas la maison), il faut une femme, jeune ou vieille, mère ou grand-mère, pour que les enfants qui ont déserté, s'ils veulent, reviennent, la maison sera là et une femme, pour l'enfant prodigue, fils ou fille.

La maison d'école est simple, sans cave ni grenier. Une véranda vitrée, atelier les jours de la couturière, le jardin de ma mère, iris bleus, capucines, violettes, roses trémières, arums et un figuier, généreux, des terrasses carrelées où je joue aux osselets et aux roseaux avec mes sœurs, où, sur une table octogonale incrustée de nacre on sert le café.

Il y a des moustiquaires aux fenêtres.

Mais déjà, d'une école à l'autre, ces maisons de la République et de l'État français n'étaient pas des maisons où se fonde une généalogie. Il fallait toujours les quitter, pas une ne serait maison de famille, comme celle du vieux Ténès, côté père, mais il est parti, ni celle de Chenaud, côté mère, elle est partie, aussi loin dans la géographie que mon père dans l'autre langue.

Le matin, mon père prépare le petit déjeuner, nous allons tous à l'école, la tasse de café pour ma mère, le chocolat pour nous, la grande boîte BANANIA. « Premier plaisir de la journée », dit la réclame avec le rire heureux de celui qui chante « Y'a bon », il a une chéchia rouge, est-ce que j'ai lu cette publicité sur une page du magazine féminin *Elle* ou *Modes et Travaux* que feuilletait ma mère ? Elle dit :

« Goûtez BANANIA à nos frais et chez vous.

Envoyez-nous vos nom et adresse avec la tête du nègre "Y'a bon" découpée à la partie inférieure droite de cette annonce et 4 timbres de lettres pour frais divers. »

BANANIA *Courbevoie (Seine).*

Ma mère a-t-elle commandé ainsi notre chocolat ? La boîte a disparu des tables françaises. La nostalgie coloniale la reproduit aujourd'hui.

Quelle était la marque des chaussures que portait ma mère ? C'est la plus élégante des institutrices de l'école de mon père. On les voit ensemble sur la photographie. J'ai lu plus tard, feuilletant, à la Bibliothèque nationale de France, en rez-de-jardin (contre les arbres retenus par des filins d'acier à cause de la tempête ou de leur fragilité ?) des numéros de *Modes et Travaux*. Sur une page de « réclames » en noir et blanc :

« Royal marque
     chaussures
     (sous un dessin de chaussure, le nom : LILA,
sous un autre dessin : ESCALE)
La reine des marques a créé
          MAURESQUE
Grâce des terres d'Afrique,
pas légers de la femme
aux airs mystérieux
mouvements lents et sûrs
d'un monde merveilleux. »

En bas de la page : « Liste dépositaires sur demande aux E^{ts} Paul Arnoux, Romans Drôme).

Si je le demande à ma mère, elle aura oublié ce détail, recouvert par les épreuves qu'elle a affrontées, debout.

Mon père lit *Le Canard enchaîné*, fidèle. Jeune élève-instituteur à l'École normale d'Alger (quel âge avait-il ? dix-sept, dix-huit ans ? Peut-être moins ?) jusqu'à sa mort, un mercredi, je crois, le jour où il l'achète, où il l'achetait. Parfois il lit à haute voix, pour ma mère, il l'a fait jusqu'à ce que les forces lui manquent « Écoute, écoute ça... » et il rit, ma mère aussi. Le rire de mon père, le rire de sa langue maternelle, l'arabe, beau, sonore, un rire qui roule, généreux et que je suis allée chercher très loin, dans les cafés arabes de Barbès où les femmes n'entrent pas, sauf... Debout au comptoir, étrangère, les hommes m'ont vue, ils ne me regardent pas, ils jouent aux dominos, bavardent, boivent des demis. Je lis *Le Monde*, rideau de papier, je ne lis pas, j'attends le rire des hommes du peuple de mon père.

Ils lisent aussi, mon père et ma mère, leurs amis instituteurs, *France Observateur* et *Alger républicain*, sûrement des journaux syndicaux, mais ils ne m'intéressent pas.

Nous buvons de l'Antésite, goût de réglisse brun-doré, l'été, et le Fly-Tox terrasse les moustiques ; chacun son tour, la bombe aspergeante en action, parcourt les pièces de la maison. Nous fly-toxons avec ardeur. C'est peut-être cet antimite puissant qui a provoqué l'asthme de mon père, ces étouffements qui l'obligeaient à s'allonger dans la chambre où nous n'allions pas, et qui nous affolaient.

Ce n'est pas encore la guerre.

Et j'ignore que je suis singulière, je sais aujourd'hui que Brantôme (peut-être Montaigne ? Il faudrait relire les *Essais*), pour lui le mot *bigarré* n'est pas savant, désigne ainsi ce qui est singulier, on dirait bizarre, étrange. Je dis que je l'ignore, pas tout à fait. Lorsque je marche avec mes sœurs sur le chemin de terre, serrées l'une contre l'autre, nous allons, depuis le quartier arabe jusqu'au quartier européen, à l'école des filles, je sens tout près, malgré la dis-

tance de la petite route aux arbres (des oliviers ?
des ficus ?) où sont arrêtés les garçons, ils attendent
le coup de sifflet du maître, je sens qu'ils nous regardent, figés, tout à coup, dans leur course vers le
grand portail, par les trois sœurs, robes trop courtes,
jambes nues, socquettes blanches, rubans écossais
dans les cheveux, la plus petite presque blonde. Je
les entends, dans la langue de leur mère, ils insultent
les filles de la Française. Je ne le sais pas la première
fois, j'apprendrai, parce que la scène se renouvellera,
combien de fois ? chaque fois que nous passerons,
ensemble, la porte sous le porche, la grande porte
en bois clouté, la même haie hostile de l'autre côté
de la rue, les mêmes mots agressifs et peu à peu, les
garçons enhardis, loin de l'œil du maître, s'ap-
prochent de nous, un, puis deux, trois, très vite,
ils tendent vers nous le corps, le bras, la main,
le médium dressé (*digitum impudicum*) et ils
s'enfuient, en riant, vers ceux qui assistent au spectacle sous les arbres. Ils attendent leur tour ? Peut-
être, je ne sais plus. Je ne peux pas décrire la scène,
plus précisément, mais la scène se reproduit et nous,
nous baissons la tête et les yeux vers la terre du
chemin, surtout ne pas les provoquer, que se passe-
rait-il ? Je ne suis pas sûre de penser tout cela, je
suis sûre que nous ne les regardons pas, que dans la
maison, nous ne parlons pas à mon père de ces
matins calmes d'avant la guerre et nous ne disons
pas, je ne dis pas que ces matins-là, je reçois en
plein corps, avec mes sœurs, les injures des garçons,

dans la langue de mon père. Il n'en saura rien jusqu'au moment où il lira, des années plus tard, de l'autre côté de la mer, exilé à son tour, les mots écrits, les mots impudiques que sa fille écrit, il ne dit rien. Une fois de plus, je me tais, nous n'en parlerons jamais. Qu'aurait-il dit ? Non pas dans ces années d'avant la guerre, mais longtemps après, voyant son nom publié, la fille porte le nom du père, et ces mots lancés comme des balles ennemies. Je ne peux pas, ici, aujourd'hui, faire parler mon père, d'outre-tombe. Je ne peux pas.

Eux, les garçons arabes savaient, oui, que j'étais, comme mes sœurs, *bigarrée*. Tous les jours, ils nous le disaient. Pourtant je ne vis pas dans un pays étranger. C'est mon pays et je ne suis pas une étrangère, de cela, je suis convaincue, je marche sur la terre de ma jeune vie, ma terre, il n'y a aucun doute, le pays de ma naissance, à Aflou, Algérie.

Jusqu'au jour où

C'est la guerre.

L'autocar des Aurès est arrêté, un barrage irrégulier, des hommes en armes, le Caïd, le jeune instituteur français et sa femme sont mitraillés. L'institutrice quittera l'Algérie qu'elle découvrait derrière la vitre de l'autocar, veuve. S'ils venaient dans l'école de mon père, pour le tuer, ma mère aussi, ils n'aiment pas les instituteurs, ils n'aiment pas les Français ?

Les trois sœurs derrière les hauts murs.

Nous ne sommes plus serrées sur le chemin de terre, nous ne marchons plus jusqu'à l'école de filles, harcelées. Nous sommes sous surveillance, dans le huis clos des jeunes filles de la colonie. La *colonie*, je ne crois pas avoir entendu ce mot-là, sinon au pluriel, les colonies de vacances où nous n'allons pas. Mon frère, oui, je crois. Comment je comprends que je vis dans un pays qui n'est pas la France, et qui est dans la France, séparé par une mer que le bateau met deux jours et deux nuits (dans les cales, on vomit et ça pue) à traverser ? Je vis dans ce pays, l'Algérie. Prisonnière, pour me protéger de la guerre, j'entends celles qui crient que l'Algérie est française.

Petits soldats de la colonie, mes inquisitrices.

Alors, je sais que je suis *bigarrée* et que c'est mal.

C'est mal de ne pas dire que l'Algérie est française,

C'est mal de ne pas aller à la messe,

C'est mal de ne pas avoir une robe de communion,

C'est mal d'avoir un père arabe,

C'est mal qu'une Française épouse un Arabe,

C'est mal de s'appeler Leïla SEBBAR, un prénom et un nom arabes, quand on a une mère française, même si elle est *française de France...* C'est de la haute trahison.

Et d'ailleurs SEBBAR, ce nom bizarre, pas français bien sûr, mais pas vraiment arabe, un nom arabe, c'est avec BEN, forcément, elles disent : « Benali, Benmohamed, Benfatima, Benaïcha »... elles rient entre elles. Je saurai plus tard, lisant le Coran traduit par André Chouraqui, que le nom de mon père, Sebbar, est le 99ᵉ nom du prophète Muhammad. Mon père s'appelle Mohamed, et son nom signifie : le Patient. Elles répètent : « Sebbar, Sebbar... c'est pas un nom juif, par hasard ? Des Juifs qui s'appellent comme ça, à Tlemcen, à Blida, à Alger, partout on en connaît, ils sont partout, et ça serait pas étonnant. Sebbagh, Sebbah, Sabbag... C'est pareil... Et tu fais pas le ramadan, on a remarqué... Au dortoir tu fais pas les prières comme les Mauresques, nos *fatmas*, les bonnes, elles demandent à la patronne, comme elles disent, nos mères, c'est la patronne... un coin pour la prière... Chez nous, c'est pas la mosquée. Le jour de la lessive dans la buanderie ou sur la terrasse, on les a vues, elles croyaient être seules, elles faisaient leur prière sur un petit tapis, elles l'ont roulé à la fin et elles l'ont caché derrière des briques... Alors, ton père, c'est un Arabe ? Et ta mère, une Française, c'est une honte, il faut être une Frankaoui, une Patos... » Je rassemble là, en une fois, ce qui a été dit au cours des années de guerre, par des jeunes filles de la colonie, soucieuses de connaître une vérité que j'aurais cachée. Est-ce que je savais que c'était mal aussi d'être juif, et même ce que juif signifiait, ou *patos* ? Dans la maison de mon père je n'avais entendu ni l'un, ni l'autre. Et je n'ai rien demandé, j'ai lu follement, loin de l'Algérie de la France, loin de ces mots-là, cherchant peut-être à comprendre, dans le silence, toujours, à l'écart, derrière le double rempart de l'étude et du livre. Je saurais, mais seule.

La guerre est là, je ne l'écoute pas.

Dostoïevski et ses guerres métaphysiques me protègent, la Russie des tsars, la religion, la misère, l'exaltation de ses héros, leurs tourments... Raskolnikov. Il dit : « J'ai un projet, devenir fou. » Je répète ces mots, partout, je me dis que ce projet sera le mien. Je ne pense pas « devenir folle », je pense : « devenir fou » et je me sépare. Bavarde-en-dedans et muette. On m'a dit, une jeune fille de la colonie, rencontrée, pas tout à fait par hasard, dans une bibliothèque à Aubagne, je crois, ce n'était plus une jeune fille : « J'ai retrouvé une photo de classe, tu as l'air buté, vraiment buté... »

Je ne réponds pas aux questions perfides. Je n'ai pas de réponses. Je n'ai pas appris à répondre à des questions de police. Je ne parle plus. Je lis. Je les regarde bavarder et rire, coquettes. Sous les blouses obligatoires, elles caressent la belle laine riche, elles disent : « korrigan », le mot magique pour appartenir à la petite bande. S'asseoir sur le bord de l'escalier, près d'elles, parler avec elles et rire. Entendre le nom des garçons, jeunes, beaux, fortunés bien sûr (les uns mourront à la guerre, dans les djebels inconnus de leur pays, les autres, ruinés seront oubliés, les vivants vieilliront dans les villes et les villages de France qui les ont « rapatriés ») ; entendre le nom des clubs très privés, « Interdits aux Juifs et aux Arabes », je n'ai pas vu ces mots écrits sur une pancarte, licite, on me l'a dit, je le crois. Entendre le nom des plages à la mode où je ne vais pas, elles disent les villas, des escaliers jusqu'à la mer, la terrasse sur pilotis où ils dansent la nuit, la mer est noire. On entend les chansons loin, dans les maisons du village arabe... « Le bonheur... Et tout ça abandonné, confisqué, habité par qui plus tard... Le mouton égorgé dans la baignoire »... c'est ce qu'elles diront, dans la haine, depuis le premier jour. Elles disent encore : « Et eux, ils rôdaient, rampant sur le sable mouillé jusqu'aux pilotis, lentement et... Ils les auraient violées, sûr et certain... Des coups de feu, au hasard, le sable giclait... Les garçons riaient fort "on les a eus... on verra demain" »... Mon père m'interdit les surprises-parties.

Je lis, irrémédiablement séparée.

Je lis. Mes complices, les yeux verts de la bibliothécaire, une *Française de France*.

ADJAMÉ, QUARTIER SAINT-MICHEL

Véronique Tadjo

Véronique Tadjo

Née à Paris, d'un père ivoirien et d'une mère française. Romancière et poète.

Elle a passé son enfance à Abidjan où elle a poursuivi des études supérieures. À la Sorbonne, elle s'est spécialisée dans le domaine anglo-américain. Elle a enseigné à l'Université nationale de Côte d'Ivoire, jusqu'en 1993, puis elle a vécu aux États-Unis, au Mexique, au Nigeria et au Kenya. Elle vit actuellement à Londres.

Elle a publié des poèmes, des romans, des livres pour la jeunesse, à Paris et à Abidjan, dont :

Grand-mère Nanan (NEI Abidjan, 1996).

Le Bel Oiseau et la Pluie (NEI Abidjan, 1998).

Champs de bataille et d'amour, roman (Présence africaine, NEI Paris-Abidjan, 1999).

Ses dernières publications :

L'Ombre d'imana, voyages jusqu'au bout du Rwanda (Actes Sud, 2000).

Talking Drums (anthologie de poésie africaine au Sud du Sahara, en anglais, pour la jeunesse) (A. & C. Black, Londres, 2000).

Le début

Lorsque je songe à elle, elle a quarante ans, environ. Ses cheveux sont châtain foncé. Elle est mince et porte sa robe aux motifs géométriques. Son sourire est gardé par deux fossettes. Je crois que c'était la période la plus heureuse, quand son corps ne l'avait pas encore trahie, quand la vie non plus, ne l'avait pas déçue.

Nous vivions ensemble. À côté d'elle, dans la maison qu'elle aimait, puisqu'il y avait aussi son atelier où elle travaillait jour et nuit. Et puis le chat sauvage qui s'installait sur le haut de l'armoire dans son bureau, à l'observer, les yeux rivés sur ses moindres mouvements. Et son chien, à l'entrée.

C'était ma mère, cette femme qui avait planté son âme dans le pays chaud et humide. Quitter la France, Paris, mon frère et moi dans les bras et ce mari qui emmenait sa famille chez lui. Partir.

Abidjan

Elle est arrivée pleine d'espoir. Mon père aussi. Le pays allait être indépendant. Cela se sentait. Cela

201

se voyait. On aurait dit de longues préparations pour la fête à venir.

De ces jours-là, je n'ai rien vu, mais j'ai dû sentir car lorsqu'on m'a montré les photos bien rangées dans l'album, j'ai eu l'impression d'avoir vécu cette euphorie. J'avais lu l'allégresse dans les yeux de mes parents.

Drapeaux flottant dans un ciel serein, foule en liesse, applaudissements, musique, chants, discours, défilés, parades. Une nouvelle ère commençait. Mon père savait qu'il aurait un rôle à jouer. Il voulait répondre au changement. N'avait-il pas quitté son village pour aller étudier en France et devenir un jour un cadre de son pays ? Ce moment-là était enfin réalité. Le chef de l'État lançait un appel à tous : « Ne demandez pas ce que le pays peut faire pour vous, répétait-il, mais demandez-vous plutôt ce que vous pouvez faire pour votre pays ! »

Adjamé, quartier Saint-Michel

Le quartier était neuf, non construit, sans maison en dur. Il y avait des baraques, habitations hâtives aux toits de tôles ondulées. Le lieu ressemblait plutôt à un grand village, sauf qu'un large chemin en terre battue divisait l'espace en deux. Les marchands Anago (Nigérians) avaient installé leurs boutiques le long de la route et des femmes venaient vendre du poisson frit, de l'*attiéké* ou du charbon de bois. Il y avait même un réparateur de bicyclettes, un garage en plein air et bien sûr un cordonnier et des petits tailleurs. Un terrain vague servait aux matchs de football, aux meetings, aux fêtes traditionnelles mais aussi, tout au bout, de dépotoir et de toilettes pour les garnements.

Mon père avait choisi ce quartier parce qu'il était situé non loin du centre d'Abidjan. Il pensait que le cœur de la capitale viendrait un jour y déverser toute son énergie et son modernisme. Mais notre quartier ne se développa jamais. La ville fit un détour, prit par la gauche et se dirigea vers Cocody, futur quartier résidentiel de la bourgeoisie naissante.

Je me souviens encore de la côte escarpée qui menait à la grande route et à l'église Saint-Michel, imposante bâtisse où une bonne partie des habitants du quartier se réunissait le dimanche. Les murs étaient hauts et blancs et des claustras sur les côtés laissaient passer quelques filets d'air. Mais il y faisait toujours trop chaud. Épaule contre épaule, des fidèles serrés sur les bancs émanait une odeur de sueurs mêlées et d'haleines tièdes. Les voix s'élevaient nasillardes dans le mouvement incessant de tous ceux qui descendaient et remontaient les allées. Des bébés pleuraient, leurs cris étouffés par les chants. Dehors, des groupes d'enfants endimanchés se donnaient la chasse. Des adolescents balançaient leurs jambes, perchés sur le mur de l'enceinte. Les vendeurs de « bonbons glacés » faisaient d'excellentes affaires.

Au-delà de l'église Saint-Michel, s'étendait le reste d'Adjamé, le marché et la gare routière. Là, tout grouillait, tout palpitait de mille odeurs et de mille couleurs.

Mon père s'était associé à d'autres jeunes cadres pour investir le quartier. En quelques années, ils avaient tous construit leurs maisons du même côté de la rue principale qu'ils firent d'ailleurs très vite goudronner.

Notre demeure se tenait à l'écart des autres. Pour y accéder, il fallait emprunter un étroit chemin bordé d'arbres touffus. Juste avant d'entrer chez nous, une espèce de château abandonné surgissait, menaçant. Un gardien taciturne avait élu domicile au milieu de ce qui était devenu, avec les années, de véritables ruines. À la tombée de la nuit, il allumait un feu. Des ombres mystérieuses dansaient sur le ciment des murs. Le propriétaire des lieux, un Français, avait été mis en prison pour des raisons que je ne connus jamais. Depuis, tous les travaux s'étaient arrêtés. Mes parents avaient toujours vu le château d'un mauvais œil, comme si cette folie des grandeurs était de mauvais augure pour tout le quartier.

Nous partagions le mur de notre jardin avec une concession dans laquelle vivaient plusieurs foyers. Les logements, des « entrer-coucher », comme on les appelait, parce qu'ils consistaient, chacun, en une pièce unique dans laquelle tous les membres de la famille dormaient. Les parents dans un grand lit. Les enfants à même le sol. Parfois, seule une simple cloison les séparait. La cuisine et les couches communes se trouvaient de l'autre côté de la cour. Les repas se prenaient au centre, sous le grand manguier. Nos camarades nous invitaient parfois, mon frère et moi, à partager leur repas, assis autour d'une cuvette de riz fumant à la sauce gluante (mon plat préféré). Je n'avais aucune idée de ce que pouvait être la pauvreté. Gourmande, je me retrouvais chez nous, une heure plus tard, pour le dîner.

Je me demanderai toujours pourquoi mes parents choisirent de construire notre maison si près d'un ravin. Au fond du jardin, celui-ci marquait la limite de notre propriété. Nous avons vécu avec la sensation qu'un jour ou l'autre nous allions être emportés par un glissement de terrain, à la saison des pluies. L'eau martelait le sol avec une telle fureur qu'il suffisait de deux ou trois jours pour que le quartier devienne méconnaissable. Les caniveaux inondés charriaient toutes les saletés du monde entier. Mais le reste de l'année, la vue était belle depuis la véranda. Nous pouvions admirer Abidjan et sa lagune.

Le député Kouao habitait le quartier avec ses trois femmes et sa vingtaine d'enfants. Ils vivaient dans une demeure triste. Renfermés, tournés sur eux-mêmes, les membres de la famille essayaient de se protéger contre les rumeurs qui circulaient : le député battait ses femmes et disciplinait ses enfants à la ceinture.

Chez eux, ma vie faillit basculer. Dans une des chambres, un après-midi, après l'école : jeux de mains, corps dénudés, de l'enfance à la connaissance charnelle, le danger de l'innocence perdue.

Le fils aîné m'avait dit qu'il était magicien. La nuit venue il allait se transformer en oiseau et voler jusqu'à la fenêtre de ma chambre à coucher. J'avais attendu à plusieurs reprises, avant de m'endormir épuisée et tout étonnée de ne jamais recevoir sa visite. Ce jeune homme magicien m'avait tenue dans ses bras, il avait tenu mon corps entre ses mains et au dernier moment il avait jugé que le temps de mon initiation n'était pas encore venu.

Non loin de là, toujours le long de la route principale, je pouvais aller dans une autre maison où vivaient des gens originaires de la même région que mon père. Il fallait traverser leur village avant d'atteindre le nôtre quand nous allions rendre visite à mes grands-parents, entassés dans la voiture, des provisions plein le coffre arrière. Nous partions généralement le week-end. Pendant les deux jours, mon père recevait une file de parents, amis et connaissances qui venaient le saluer, lui donner des nouvelles fraîches ou lui demander toutes sortes d'aides. Le dimanche matin, après la messe, nous allions souvent marcher dans les plantations de café et de cacao. Lorsque nous arrivions au campement, nous nous désaltérions au vin de palme.

Au moment des au revoir, la grande cour paternelle était en effervescence. Des chaises disposées en rond nous accueillaient pour de longues discussions. Il fallait toujours compter plusieurs heures d'arrêt avant de pouvoir reprendre la route d'Abidjan. Mon grand-père fumait sa pipe les yeux mi-clos en écoutant les conversations, pendant que ma grand-mère veillait à ce que nous repartions avec un régime de bananes plantain, du manioc ou des ananas.

Chez ce cadre qui avait une vague parenté avec nous, les enfants étaient plutôt calmes. Je m'y rendais surtout pour parler aux filles qui avaient à peu près mon âge. Elles me racontaient des histoires de sorcellerie. Un jour, leur mère était tombée gravement malade. Leur père fit venir un guérisseur qui déclara que tous les sacrifices seraient impuissants si la patiente ne disait pas tout ce qu'elle avait sur le cœur afin de se « libérer » du poids qui pesait sur son corps et qui la faisait tant souffrir. Elle avoua alors qu'elle avait eu un amant des années auparavant. Sa santé s'améliora, mais quelque temps après, son mari commença à parler de divorce. Les enfants vivaient dans la crainte d'une séparation. Leur mère consultait de nombreux marabouts.

On pouvait voir, dans certains coins sombres de leur maison, des canaris remplis d'herbes sèches et de coquillages. Je savais qu'ils contenaient des fétiches.

Mon frère et moi, nous courions partout, nous entrions dans les maisons, nous traînions dans la rue. Les marchands de bonbons nous faisaient crédit et nous étions assurés d'une bonne portion de bananes frites ou de beignets à l'heure des petites faims. Le quartier était suffisamment étendu pour rester dehors plus longtemps que prévu, mais pas assez pour inquiéter nos parents quand nous tardions à rentrer.

Dès que mon frère et moi entrions dans le quartier Saint-Michel, nous nous considérions chez nous. Notre maison n'était pas seulement délimitée par notre clôture et le grand portail, mais aussi par la multitude des petites baraques et boutiques qui se multipliaient rapidement. Notre maison, c'était toute cette cohabitation, heureuse ou malheureuse, cette communauté mouvante. En plus de la communauté ivoirienne qui habitait le quartier, il y avait des Nigérians, des Togolais, des Burkinabé (Voltaïques, à l'époque), des Guinéens, des Maliens, des Mauritaniens...

Deux ou trois de nos cousins et cousines habitaient avec nous. En fait, il y avait toujours quelqu'un de la famille ou du village. J'apprenais à parler la langue de mon père.

Mais mes parents trouvèrent que le quartier n'évoluait pas comme ils l'avaient souhaité. De leur côté, les autres cadres préparaient leur départ. Ils construisaient de nouvelles maisons à Cocody, le quartier chic.

Le pays changeait. La nouvelle bourgeoisie devenait de plus en plus riche, exigeante, avide de pouvoir et de confort matériel. Cocody allait devenir le symbole d'une ville qui commençait à se fragmenter, d'une élite qui se coupait de sa base. On parlait de « miracle ivoirien ». Abidjan était la « perle des lagunes ».

Et puis un jour...

Il y avait un petit orchestre dans le quartier. Deux guitaristes, un chanteur et un batteur. Quatre garçons qui se réunissaient pour animer les fêtes. Pépito, Django, Ringo, Johnny. Pépito portait une casquette, il avait une cicatrice sur la joue droite.

Par une fin d'après-midi, je discutais avec eux sur le bord de la rue principale, lorsque mon père arriva dans sa voiture, probablement à la sortie du bureau. Le chauffeur arrêta le véhicule juste à notre hauteur. La vitre arrière descendit lentement et le visage de mon père apparut, les traits tendus par la colère. Sur un ton sec, il me lança : « Rentre à la maison, tout de suite ! »

Les années Houphouët-Boigny furent les années des vaches grasses. Notre ministre des Finances, Konan Bédié (il deviendra quelques décennies plus tard le deuxième président du pays) fêtait au champagne le premier milliard de sa fortune personnelle.

Mais vers la fin de sa vie, le « père de la nation » ne pouvait plus masquer les signes de dégradation économique. Le pays étouffait sous la corruption et la mauvaise gouvernance. Après la période d'euphorie, la longue descente commença.

Quand les fastueuses funérailles de celui qui avait mené son peuple à l'indépendance furent terminées et que les illustres invités quittèrent l'immense basilique, construite par lui-même à Yamoussoukro dans son « village » au cœur du pays, les Ivoiriens surent qu'une page de leur histoire était définitivement tournée.

Ma mère est morte avant d'avoir vu le pays sombrer. Elle a continué à travailler jusqu'au bout dans son atelier, à vouloir installer ses sculptures dans la ville « pour l'embellir », disait-elle.

Elle n'aura pas connu l'intolérance d'aujourd'hui, le rejet de l'autre. Elle n'aura pas connu le premier coup d'État de la Côte d'Ivoire, le régime militaire et le gouvernement de transition.

Elle n'aura pas vu dans les yeux de mon père la grande déception.

L'homme aux deux tombeaux

Abdourahman A. Waberi

Abdourahman A. Waberi

Né en 1965, à Djibouti.

Il a publié une trilogie :

Tentative de définition de Djibouti (Le Serpent à plumes).

En 1996, il a reçu le Grand Prix littéraire de l'Afrique noire.

Il est l'auteur de romans, de nouvelles, de poèmes, dont :

Cahier nomade, nouvelles (Le Serpent à plumes, 1996).

Balbala, roman (Le Serpent à plumes, 1997).

Les nomades, mes frères, vont boire à la Grande Ourse, poèmes (Éditions Pierron, 2000).

Terminus, textes pour le Rwanda, récits (Le Serpent à plumes, 2001).

Rift Routes Rails, variations romanesques (Gallimard, « Continents noirs », 2001).

Un murmure d'éternité. L'un des tout premiers souffles de l'Orient en direction de l'Afrique. Exodes à rebondissements. Nomades en citadinisation forcée. On imagine le berceau du soleil, là-bas, derrière la montagne. Le ciel est, prophétise-t-on, descendu de quelques marches et imprime sur les visages un sourire âcre. Les routes sont en voie de ravinement. Les frontières ne sont plus que souvenirs : le déversoir démographique de la région a bel et bien lieu ici. Le bon Samaritain humanitaire, les larmes à fleur de paupières, apportera les provisions, aussitôt détournées par les requins potelés de la capitale.

– Ils vendraient leur mère, crient les nouveaux venus. En vain.

– C'était déjà fait.

– Ils boiraient la mer ! s'indignent les braves gens.

Mes yeux s'étaient dessillés sur le périmètre intime du quartier, trois ou quatre rues, guère plus. Le lac tranquille de ma vie couleur de boue quand

213

tout va mal, couleur de khat quand il fait beau dans les cœurs des hommes. Je me plaisais à m'imaginer déjà en train d'observer le monde à travers l'œil vitreux de l'utérus de ma mère. On disait qu'à ma naissance j'avais le nombril saillant et les genoux mous. Je me rappelais parfaitement une chose : le mol envoûtement de l'air dans la salle d'hôpital, une atmosphère due autant à l'odeur médicamenteuse du lieu qu'à l'air tiédi que brassait sans conviction un ventilateur maigrelet. On m'avait ensuite lavé les yeux, les oreilles, les narines et l'anus. Dégagé des impuretés, neuf comme un sou, ma pensée était tout entière tournée vers l'Unique. Je contemplais les hautes solitudes des pâturages humains. Je savais prier en silence malgré la chaleur gonflée d'eau de cette ville qui allait être mienne. Tout autour de moi, on parlait un sabir grimé en somali ; des onomatopées et des borborygmes revenaient en boucle. Pourquoi ne parlaient-ils pas comme tout le monde ? Pourquoi s'efforçaient-ils à penser par pensées rêveuses ou paresseuses ? J'avais l'impression de me trouver devant un mur de cactus. Sans me l'avouer, j'entrais déjà en résistance.

Plus tard, j'avais pris l'habitude d'assurer mes arrières, de défendre mon bout de pain avec la barbarie du désespoir. Le boire et le manger acquis, je me livrais à des anticipations et des prospections. J'avais prédit aussi le pays abîmé et le crépuscule des pères. Seules les dames fortes, bien servies par la chiennerie de la vie, survivraient sans rien perdre en dignité. Notez déjà que Mère se levait aux aurores alors que Père dormait souvent jusqu'à midi. Comme Cassandre, j'avais vu juste, cette fois encore.

Sérieux, grave même, je ne renonçais pourtant pas aux petits larcins et autres menteries des enfants de mon âge. C'était comme une seconde peau ou, si vous préférez, un costume de caméléon, une couverture pour ne pas éveiller les soupçons. Je connaissais aussi mes limites, pas de fugues et pas de désertions à ce jour. Et je ne poussais pas l'inconscience jusqu'à rejoindre les rangs de ceux qui se perdaient la tête en sniffant le pétrole, la colle ou le white spirit dans des canettes de Coca-Cola. Pas folle, la guêpe. Elle se préservait pour les grandes missions à venir, les grandes pages héroïques à écrire. Pour l'instant, juste des petits vols tout en douceur ; et de temps à autre, une petite razzia impromptue dans l'arrière-boutique de l'oncle. Ainsi, les pièces chipées pour s'offrir un cornet de cacahuètes ou des beignets chauds et pimentés. Et grand-mère, croisée dans la rue, qui s'inquiétait aussitôt : « Où t'en vas-tu comme ça ? Cours moins vite, petit lion ! »

Les mots étaient longuement ânonnés avant d'être fixés sur la planche coranique, le maître de la *medersa* n'était pas toujours tyrannique comme le veut le cliché en vogue dans la littérature ou le cinéma des pays du Sud. Il vous traitait de « crâne dur » chaque fois que vous le méritiez et c'était tout. Pas de politique, nul clanisme. Jamais de favoritisme, et encore moins de prosélytisme outrancier, chez lui. C'était un homme qui s'était peu à peu détourné du tapis roulant de la vie, des rhumatismes de l'ennui. Il avait accepté son sort squelettique et attendait la mort ordinaire qui adviendrait assurément.

Une petite éternité de temps plus tard, on tapait fort dans le ballon. Sur le terrain, on était aussi nombreux que des alevins sur la plage de Doraleh et on faisait cercle autour du dribbleur. On prétendait se faire des muscles en soulevant les ustensiles de cuisine remplis d'eau qui attendaient la petite bonne de la maisonnée. On accédait enfin à la graphie, à l'expression artistique. On inscrivait à la grosse craie sur les flancs en tôle d'aluminium des baraquements du voisinage des âneries, des injures et des mots de vergogne qu'on imaginait définitifs – on possédait désormais le français de l'école. « Moi, j'enquile ta seur pour 10F » et un autre d'ajouter en guise de signature « tojour ». Les frères de la sœur à l'honneur souillé rechercheraient l'auteur du forfait jusqu'à la fin de ses jours.

Reviennent au présent du souvenir les prairies indigo de l'enfance et les couleurs de braise de l'adolescence que l'on pavoise toujours un peu trop haut. Les après-midi couleur safran ne s'oublient pas comme ça. La Lune, en ces temps-là, un ongle d'or dans un ciel moiré.

Tant que la mort n'est pas dans ton foyer c'est qu'elle sévit chez le voisin dit, à peu de chose près, un proverbe dans la langue de chez moi. Enfant, je faisais des calculs savants pour déterminer, à partir du périmètre intime de mon quartier, le lieu exact où rôdait la mort. Parfois, il faut l'avouer à présent que le temps a fait son œuvre et que je n'éprouve presque plus cette honte infantile, je me trompais quand, par exemple, j'expédiais hors de la terre de Dieu un valétudinaire des environs. En somme, je mesurais d'instinct la portée de ce proverbe que, bien entendu, je ne connaissais pas encore à cette époque. C'est que la mort n'est toujours pas une équation à trois inconnues. Elle avait plutôt le visage d'un animal familier en ces temps-là. Rien que dans le nid familial, sur les sept enfants au nombril cicatrisé, trois étaient repartis sitôt leur arrivée. Des petites sœurs que je ne connaîtrais jamais. La mort devait passer chez nous tous les trois ans et c'est tout. Sans parler d'un père maladif pour lequel tout le quartier nourrissait de réels motifs d'inquiétude. Sans parler des membres du clan, chassés de leur brousse nourricière par la sécheresse, l'épidémie ovine de la guerre, et qui rendaient leurs viscères et leurs glaires dans la cour. Entre-temps, la mort, elle, avait fort à faire dans les parages. On pouvait la suivre à la trace ; il vous suffisait de repérer les tentes dressées à l'occasion des funérailles. Ici, un bambin retournait à son vide abyssal, d'ailleurs on ne le disait jamais mort mais juste reparti – *shafeec* dans la langue des gens de chez moi. Là, un vieillard passait du déclin à la débâcle, la faucheuse l'ayant surpris au plein milieu de sa prière du soir. Là encore, un jeune homme, sûrement trentenaire, apparemment en bonne santé, nous avait faussé compagnie sans crier gare. On dira qu'il avait trébuché. Une folle s'était immolée sur la place de la mosquée, prétextant que le Démon lui avait fait des clins d'œil appuyés. Elle serait sauvée cette fois et tout le monde s'écrierait que sa part de galette était épargnée, c'était écrit là-haut, et que la mort, elle-même, n'y pouvait rien en pareil cas. Plus étrange était le cas de l'homme-aux-deux tombeaux. On l'avait cru trépassé par deux fois, il était toujours parmi nous. La dernière fois, on l'avait ramené de la morgue, on l'avait lavé, il avait eu droit aux prières à la mosquée. Puis on avait creusé sa tombe au mitan du cimetière d'Ambouli, et à la dernière minute quelqu'un l'avait surpris animé par un petit souffle qui soulevait subrepticement sa poitrine froide. La vie se rappelant en catimini à lui, son corps s'était réchauffé passant du bois raidi à la chair vivante quoique encore bien engourdie. Il avait ouvert un œil. Mais la suite se perdait en hypothèses et pronostics. Certains racontaient qu'il avait marmonné une sourate. D'autres auraient saisi sur ses lèvres le nom de sa femme. D'autres encore prétendaient qu'il avait prononcé des mots incompréhensibles seulement pour les hommes d'ici. À ce sujet, le fil du récit est maigre et ténu, mais que voulez-vous je ne vais tout de même pas vous inventer, à moi tout seul, des monts et des merveilles. En tout cas une chose est sûre, sa famille stupéfaite avait repris sans tarder le chemin du retour avec cet adage à la bouche : « Quand ce n'est pas l'heure, ce n'est vraiment pas l'heure ! »

– Il nous enterrera tous, c'est moi qui vous le dis.

– Partons, cet homme a déjà deux tombes.

– *Laba qabrileh* vivra encore parmi nous. C'est la volonté du Seigneur. Devant celle-ci, nous nous inclinons, pauvres microbes que nous sommes !

Dans nos rêves nous nous imaginions plus grands, surtout plus gros. Nous nous tapotions l'estomac, nous nous lissions le menton avant de roter d'aise. Les gosses à la chair molle et aux grosses cuisses étaient raillés tout autant que jalousés. On leur envoyait à la figure les marques de lait en poudre que leur maman utilisait à la maison. « Gosier d'ogre, fils de Nido, va retrouver ton bol de lait ! » restait l'insulte suprême juste après l'anatomie intime de cette dernière. Si manger était une obsession dans nos babils d'enfants c'est que la nature d'ici autorise rarement l'abondance. Pire, les brins des graminées ne réussissent à s'accrocher aux roches noirâtres que pour une poignée de jours. Alors adieu riz, adieu semoule ! Adieu ignames, manioc et bananes ! Adieu patates, tomates et mangues juteuses ! Adieu sésame, pastèques et grenades ! Les chats faméliques et furtifs de mon enfance en savaient quelque chose. Aujourd'hui encore, entre deux courses, ils font halte sous une table, un banc ou contre un mur pour reprendre leur souffle. Retournement de terre aride.

La pluie aussi était une bénédiction. On l'attendait des mois et des années. On l'appelait des yeux, que dis-je, de toute l'étendue du corps et de l'esprit. Dès les premières gouttes aussi chiches que la rosée du matin dans les terres pénombreuses du Sud, on se disait qu'il ferait beau, au moins aujourd'hui. Entre deux précipitations se déployait le long poème de l'absence en attendant la prochaine moisson. Et ainsi de suite.

TABLE

CET OUVRAGE A ÉTÉ COMPOSÉ PAR
I.G.S. – CHARENTE-PHOTOGRAVURE À L'ISLE-D'ESPAGNAC (16)
IMPRESSION : S. N. FIRMIN-DIDOT AU MESNIL-SUR-L'ESTRÉE
DÉPÔT LÉGAL : MAI 2001. N° 42625 (55377).